CHAOJI BAN
MAOXIAN
XIAOHUDUI

超级版
冒险小虎队
MAOXIAN XIAOHUDUI

毒药博士
的恐怖计划

[奥地利] 托马斯·布热齐纳　著

维尔纳·埃曼　插图

陈一平　邵灵侠　译

浙江少年儿童出版社

小虎队个人档案

名: 碧吉　　**姓:** 波尔格

生日: 6月17日
发色: 金黄色
眼睛颜色: 海水蓝
个人特点: 身边总带着些
　　　　　吃的东西

我喜欢
食物: 榛子巧克力
饮料: 热带水果饮料
颜色: 橙色
动物: 美洲驼
音乐: 摇滚乐
课程: 生物
业余爱好: 收藏,写日记

我讨厌
萎靡不振的男孩, 老说废话的人,
家庭作业, 太短的假期, 无视我的
大人

梦想的职业: 兽医或飞行员
最大的愿望: 有一匹属于自己的马

名:路克(路卡斯)　　　**姓**:坎平斯基

生日:7月1日
发色:稻草金
眼睛颜色:蓝中带绿
个人特点:身边总带着
　　　　百宝箱

我喜欢
食物:汉堡加薯条
饮料:柠檬可乐
颜色:绿色
动物:狐狸
音乐:只要是我能跟着哼哼的音乐我都喜欢
课程:物理,数学
业余爱好:遥控模型(曾制作了一台会走的冰箱)

我讨厌
思路中断,整洁(我很少有井井有条的时候),为达到目的无所不为的人和自以为无所不知的人

梦想的职业:发明家
最大的愿望:拥有一台和我爸爸那台一样好的电脑

名:帕特里克　　**姓**:施泰因布伦纳

生日:7月28日
发色:黑
眼睛颜色:典型的深棕色
个人特点:总是穿着
　　　　　运动服

我喜欢
食物:比萨饼
饮料:冰茶
颜色:蓝色
动物:我的小兔子班尼
音乐:一种节奏较快较强的电子音乐
课程:课间休息
业余爱好:各种体育运动

我讨厌
考试,不光明正大的人,愚蠢的人,
坐火车,穿着太紧并使皮肤发痒的
漂亮衣服

梦想的职业:特技演员
最大的愿望:跳伞

欢迎你成为第四只小虎
请你也介绍一下自己

名： 姓：

生日：

发色：

眼睛颜色：

个人特点：

贴上
你的照片

我喜欢

食物：

饮料：

颜色：

动物：

音乐：

课程：

业余爱好：

我讨厌

梦想的职业：

最大的愿望：

毒药博士的恐怖计划

你就在破案现场!你也要参与破案工作!

你要回答破案时出现的很多问题。

特别重要的提示:在本书末你可以找到冒险小虎队的许多秘密记录和超级绝招。

功能 1·超级解密卡

所有答案都被加密了。请你把超级解密卡放到灰色区块上缓缓转动,直到文字显现。

功能 2·搜索格子卡

　　将搜索格子卡放置在插图上,使卡左下方和右上方的两个小孔分别对准插图上作记号用的两个小黑点,然后看一看,你要寻找的目标出现在哪个区域。

功能 3·密信解读卡

　　解读步骤如下:

　　1. 将卡片放在密信上面,箭头朝上,使每一个格子中都有拼音或汉字,这样,你能看到密信的开头部分。

　　2. 将卡片倒转过来,使箭头朝下,你将看到密信的第二部分。

　　3. 将卡片翻过来,使背面的箭头也朝上,继续读出显露的文字。

4. 再将反放在密信上的卡片倒过来,使箭头朝下,你看到的是密信的最后部分。

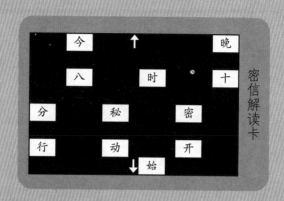

记住:每答对一题,就给自己记 1 分,并将最终得分填在书末的破案成绩卡上。

侦破行动现在开始!

目录

MULU

恐怖计划

　　这次会面将悄悄地在飞机场的停车场里进行。没有人注意到这位头发颜色黄中带红的男子。他的眼镜歪斜地架在鼻梁上，身穿一件特别肥大的西装，并把一只磨损

1

破旧的公文箱紧紧地抱在胸前。

当这个男人从一辆蓝色的、带着深色窗玻璃的大型豪华轿车旁边走过时,这辆车的后车门似乎自动打开了。这位头发颜色黄中带红的男子弯下身子问道:"卡普里岛附近的海水是蓝色的吗?"

车中的后排座位上坐着一位瘦骨嶙峋、长着乌黑头发的男子,他扭过头来,张开嘴巴,露出两颗闪闪发光的大金牙。

"那里的海水真是湛蓝湛蓝的!"他回答道。

头发颜色黄中带红的男人随即上了车,坐在黑发男子的身旁。车子的前排座位与后排座位之间隔着一层玻璃,这样驾驶员就无法偷听后面的谈话了。

车门关上之后,这位头发颜色黄中带红的男人冷冷地问道:"您的任务是什么?"

黑发男人从旁边打量着他,然后推断着:"您就是那位著名的毒药博士?您的真实面目无人知晓!"

"我应该跟谁打交道?"毒药博士询问。

"您可以称我为阿图罗,或者马里奥、莱那托、乔瓦尼、弗朗西斯科,随您喜欢。"

"阿图罗听起来不错!"毒药博士用冷冰冰的声音回答,"我们现在可以来谈谈任务吗?"

阿图罗拎出一只公文箱,迅速地打开锁,翻开箱盖,里面装满了一捆捆的美钞。

"这是 100 万,作为定金。您必须设法让那几个人无法再清楚地思考问题。"

"那么,我就给他们下毒药!"

黑发男人摆摆手:"不,绝对不要。这些人应该继续做他们的工作,但是必须把工作搞糟,犯许多的错误。据说,您是这个世界上最伟大的毒药专家,人们也称您为毒药博士,您愿意接受这项任务吗?"

毒药博士微微地点头,阿图罗于是合上箱子,随手把箱子递给了毒药博士。

"但是,我必须警告您,一旦您无法成功,那么您将会变成一个死人。我的老板根本不知道什么是仁慈和怜悯。无论您在哪里,我们都将找到您!"

毒药博士再次点了点头,脸上没有丝毫的表情。"什么时候?"他问道。

"七个星期之后,在这里,就在这座城市里,具体日期您到时候会知道的。"

"您可以相信我!"毒药博士信誓旦旦地说,然后不打招呼就下车了。他刚刚跨出轿车,轿车就绝尘而去。

毒药博士回到了一辆表面凹凸不平的车里,这是他使用的二十辆车子中的一辆。他驾驶着这辆车子,回到了位于市中心的某一个地方。他的实验室在那儿隐藏得很好,无人知情。邻居们都认为他是一位吸尘器代理商,并且经常出门在外。

在所有的安全门和锁闭装置都打开之后,毒药博士走进了一间地面铺着瓷砖的房间。天花板上的氖光灯射出冷冰冰的光芒,照亮了整个房间。靠着墙壁放着一些架子,上面放着几千个容器。实验室的中间摆着一张巨型桌子，上面放着试管、烧瓶、各种直径的小管子和煤气燃烧器等。

毒药博士在电脑中输入了密码，打开了一个秘密数据库。他迅速地找到了一个配方。他早就想尝试一下这个配方了，但其中某些配料他还无法弄到手。

这种毒药真的会达到设计要求中提到的那种效果吗？

毒药博士这项任务的委托人是这个世界上最危险的组织——黑手党的头目堂摩尔特，人们称他为"死亡先生"。毒药博士知道，一旦自己失败，那必死无疑。

他相互交叉着手指，并让手指关节发出咯咯的响声。

"因此，我必须谨慎行事。"他作出了这样的决定，并且制订了一个计划，一个可怕的计划，它将导致许多人成为牺牲品。但是，毒药博士对此却满不在乎，他是一个冷漠、狡猾的流氓，他非常喜欢自己的恐怖计划，当其他人遭受痛苦时，他会感到很兴奋。

冒险小虎队

校园里的战斗

帕特里克飞身从自行车上跳下来,然后紧紧地靠在一棵大树上,他这时全身在颤抖。对此,不仅仅是冷风的原因,除了冷风正呼呼地吹过小巷外,这幢校舍里的陈旧部分还让人想起了一座幽灵城堡。

这个小虎队队员在这一时刻停下了脚步,并仰望着这幢昏暗的砖楼上的凸出部分和小塔楼。

"如果这里闹鬼的话,我不会感到惊奇。"他想。也许在深夜,已经死去的老师的灵魂就会在这里到处游荡,并会在学生中寻找袭击对象。

帕特里克为什么会在周五晚上将近八点钟的时候还去学校呢?因为他把球鞋忘

6

在更衣室里了,而在星期六,他需要穿着那双鞋子去参加一场足球比赛。

紧挨着这幢陈旧的校舍,矗立着一座由玻璃和混凝土构筑而成的现代化的新大楼。这座新大楼的大部分窗户都是圆形的,金光闪闪的金属支柱高高地耸立着。

学生们称这幢大楼为UFO,因为看到它,总要让人想起一艘宇宙飞船。

幸运的是,有一扇玻璃门竟然没有锁上,帕特里克为此轻松地吸了一口气。他没有兴致在肖特那儿按一下门铃。肖特是大楼的管理员,他个子矮小,并且由于身上发出"持续的霉味"而出名。

此刻,校舍里又暗又静,在大厅和走廊里,只有应急灯闪烁着昏暗的光芒。

帕特里克突然有点害怕起来,世界上真的没有鬼魂吗?经过几次深呼吸之后,他渐渐地恢复了勇气,开始蹑手蹑脚地朝健身房方向走去。

帕特里克的运动鞋随着每一个脚步

在光滑的石板地面上发出刺耳的声音,于
是他决定踮着脚尖走路。

就在这时,他听到了一种声音!

在这幢校舍里的某一个地方发出了强
烈的扑腾声,听起来像是很重的东西掉到地
上的声音。

"救命!放开我!救命!"他隐隐约约地
听到一个嘶哑的声音。

一场战斗正在发生,这是毫无疑问的。

但是,谁会在这个时候,在学校里进行战斗呢?帕特里克的心开始怦怦直跳。

他是否应该马上离开学校?或者,更好的是,他应该去把大楼的管理员叫来?或者,打电话给他的小虎队朋友们?

这幢校舍的旧区和新区连接在一起,占地面积很大,有将近五十个教室,此外还有物理、化学、生物、音乐和绘画的大厅。

战斗会在哪里发生呢?

帕特里克犹豫不决地来回走动。

"不……不要,救命!"他又听到了声音。听起来似乎是有人处于极度危难之中。

"我必须做些什么!"这个小虎队员坚定地告诉自己。

冒险小虎队

请你回答的问题：

你认为这场战斗
会在哪里进行？

秘密记录

帕特里克冒汗

"我必须报告肖特。"帕特里克这样决定。这个大楼的管理员就住在这座新建筑后面的一间房子里,在健身房的旁边。帕特里克踮着脚尖急匆匆地朝那里走去,并且按响了门铃。

在肖特的房间里,电视机正开着,电视里一个男人正咆哮着,紧接着是一声枪声。

"天哪,肖特在看什么无聊的节目?"帕特里克叹了一口气,并再次按响了门铃。

管理员肖特并没有来开门,也许他不想在他看喜欢的节目时被打扰,或者还有另外的原因。

这使帕特里克更加不安,他把耳朵紧贴在门上,并且仔细聆听着。这时,窗外传来一阵警笛声。

不知从什么时候开始，从肖特的房门里散发出一股难闻的气味，有点像医院里的气味。

帕特里克来不及多想，他急匆匆地从后面的楼梯直奔四楼。电梯停在四楼，因此他猜测那里有一场战斗。

当他冲上四楼时，他觉得应该暂时停顿一下，以便让呼吸平静下来，因为他不想让喘息声暴露自己。他小心地在这条走廊的拐角处窥探着，那儿有一个接一个的教室，走廊的尽头是校长的办公室。阿尔弗里德·施坦克校长有一个"响鼻鬼"的绰号，因为他有一个习惯，即经常在呼吸时从鼻腔中发出刺耳的声响。譬如，当他讲话时，听起来是这样的："那么，仔细听着——呼啦啦、呼啦啦——我觉得这并不正常——呼啦啦、呼啦啦——这将会有后果——呼啦啦、呼啦啦！"

校长办公室里正亮着灯，在被灯光照

得很亮的门框上，出现了一个男人侧面的
阴影。帕特里克的身子紧贴在墙上，以便不
让人发现自己。

　　但是，帕特里克还是犯了一个错误。

　　脚步声沿着走廊慢慢传过来,有人朝帕特里克走来。

　　会是谁呢?

　　是校长吗?如果校长发现了自己,他将会说什么呢? 在这个时候进入这幢大楼到底是不是被禁止的呢?

　　这个陌生人的鞋跟钉着金属片,走路时发出咔咔的脚步声。

　　咔——咔——咔……

　　越来越近,越来越近,已经很近了。

　　帕特里克站在那里, 额头上渗出了汗珠。他是否应该让对方认出自己,并问他到底发生了什么事情呢?

　　且慢, 这个人也许根本就不是阿尔弗里德·施坦克校长,而是……

冒险小虎队

请你回答的问题：
　帕特里克犯了一
个什么错误？

秘密记录

光头现身

帕特里克屏住呼吸，蹑手蹑脚地走到楼梯间，并且快速地走到下面一层楼。在那儿，紧挨着楼梯立着一只柜子，里面放着鸟类、鼬和旱獭的标本，帕特里克躲在柜子的后面。如果有人从楼梯上走下来的话，他只要抬起头来就能看见。

咔咔的脚步声不紧不慢，保持着原有的速度。可以推测，那人肯定已经到达了刚才帕特里克所停留的地方了。

那人是否已经发现了他？灯光把帕特里克的影子投到了走廊的地面上，也许已经把他暴露了。

他听到了，这个陌生人正在下楼梯。

帕特里克不敢再重呼吸，并且绷紧了

全身所有的肌肉。如果自己遭袭击,那么必须进行自卫。但是,倘若那个人携带着武器的话,那么自己就毫无机会了。

"你发疯了!"他骂自己。这是一所学校,而不是存放秘密文件的档案馆,哪至于那么害怕?

陌生人很慢地从这个柜子的旁边走过,而帕特里克恰恰站在柜子的后面。当那人经过一盏壁灯时,帕特里克能够清楚地看到他。

一个光头的男人。他是谁?

那人朝走廊里看了一眼之后,又重新走上了四楼。毫无疑问,他的目标是校长办公室。砰的一声,校长办公室的门被关上了。

帕特里克的内心又产生了矛盾,他应该尽快消失呢,还是应该去查看一下?如果他现在放弃的话,路克和碧吉将会发表尖酸、刻薄的评论。于是,他鼓起了自己所有的勇气,蹑手蹑脚地沿着这个长长的走廊,一直走到主楼梯旁。

　　当他站在校长办公室的门前时,他听到有人在办公室里紧张地忙碌着,并且不断地喘着粗气。是不是"响鼻鬼"呢?

　　这里是校舍的旧区,许多走廊的顶部都很高,柱子和穹顶看起来像鲸的肋骨。但是,那些门往往还安装着陈旧的锁具,帕特里克通过一个锁眼向里面窥视。

　　霎时,帕特里克浑身的血液几乎要凝固了,他马上把嘴唇合拢,以便不让嘴里发出一点声音。校长坐在地上,上身靠着一张椅子,显然,他已经失去了知觉,或者也许已经死了。那个光头正把他放进一只带有拉链的深棕色塑料袋里。

帕特里克只有一个念头：马上离开，尽可能地快！

当他直起身子，并且后退一步时，不幸撞到了一个木制的小花架上。那个花架"扑通"一声重重地倒翻在地上。

一秒钟之后，校长办公室的门突然打

开了,帕特里克与那个光头面对面地站着,两人互相注视着对方。

那个男人的眼中射出寒冷的光芒,咄咄逼人。他没有说一句话,甚至对帕特里克的出现也没有表现出任何的惊慌。他弯了弯右手的食指,似乎以此向帕特里克表明,让他到自己这里来。帕特里克没有马上这样做,一只强有力的手臂突然伸过来,揪住

了帕特里克的套衫。对于帕特里克来说，这次袭击来得如此出乎意料，以至于他根本不能抵抗。他被粗暴地拎进了校长办公室，并被重重地扔在放着靠垫的沙发上。

当帕特里克想重新站起来的时候，那个光头已经在他的身后了，并用双手狠狠地压住他的头。帕特里克不停地挥舞着手臂，尽管如此，他还是不能站起来，因为这个男人似乎拥有超人的力量。

校长的书桌上一片狼藉，尽管如此，帕特里克还是发现了一些对他来说显得非常重要的东西。现在，他知道了光头的名字。

随后，帕特里克闻到了同样的气味，就像在大楼管理员的门前闻到的一样。他有一种感觉，似乎有一块沉重和黑暗的帷幕降落在他的身上。他失去了力量。

冒险小虎队

秘密记录

请你回答的问题：
那个光头男人叫什么名字?(请将搜索格子卡平放在第21页的插图上进行搜索。)

愤怒的觉醒

好像有一块粗糙的、潮湿的、热乎乎的东西在不断地擦拭着帕特里克的脸，这个小虎队队员正在非常缓慢地苏醒过来。他的鼻子里仍然留有那股令人恶心的医院里的气味。

"埃拉斯穆斯，你在那里找到了什么？"帕特里克听到一个陌生的声音。

他终于睁开了一只眼睛，看到了一张长满尖锐牙齿的嘴巴，一团粉红色的东西朝他呼啸而来，并在他的脸庞上来回擦拭着。

"埃拉斯穆斯，别弄了！"那个声音大声责怪着，然后，他问道，"喂，年轻人，你为什么坐在这儿？"

帕特里克睁开了第二只眼睛，并且看

24

到了一条急促地喘着粗气的狗，它就站在自己的面前。帕特里克紧靠着一根树干坐着，并且感到了地面的寒冷。当他想站起来时，又觉得有一些眩晕，于是不得不双手撑着地面。

"年轻人，你喝醉了吗？"那个声音生硬

地问。声音出自一个长着一头拳曲而蓬乱的白发的老人之口。那位老人拄着一根拐杖走过来，并透过一副眼镜仔细地打量着帕特里克。那副眼镜赋予了老人一些严谨的气质。

"在学校里……有人……把我们的校长杀了，并且将学校管理员麻醉了！"帕特里克迅速恢复了记忆。"请您报告警察，这很重要。"他催促道。

"你能够完全肯定吗？"那位老人疑惑地问。

"绝对肯定！"帕特里克喘息着回答。

在学校前面的那条大街上，有一个电话亭，因为老人并不打算做这件事情，所以帕特里克只好自己给警察局打电话。

几分钟之后，一辆警车抵达这里，两个年轻的警察跳下车。帕特里克简短地向他们报告了自己所经历和观察到的一切事情。

"如果没有人需要我，那么我就走了。"那位老人自言自语着蹒跚地离去了。他的狗本来还想再待一会儿,但最终还是不得不跟着它的主人走了。

一个警察来到学校的大门口,他想拉开门,但是大门却是锁着的。

帕特里克惊呆了,这怎么可能呢?

在这幢房子的墙壁上,有一个直通学校管理员房间的电铃。这个警察按了一下电铃,不一会儿,一个沙哑的声音通过内部对讲装置传过来。

"我是警察,打扰一下。请给我们打开门。"这个警察说。

过了一会儿,那个睡眼惺忪、哈欠连天

的肖特出现了。他把学校的大门打开了,然后吃惊地看着帕特里克和警察们。

"这个学生声称您被麻醉了。"其中一个警察解释道。

管理员的嘴里嘟哝着什么,听起来好像在说"这简直是胡说八道"。他声称,他全部的时间都坐在电视机前。

"但是,我在您的房门上按响过门铃。"帕特里克大声声明。

管理员肖特轻轻地拍一拍自己的额头:"你根本不可能进入这幢校舍,它是锁着的。"

帕特里克感到自己的脸正在变红。他和两位警察、肖特一起上楼,来到校长办公室,但是那里丝毫没有发生过一场战斗的痕迹。

日历!帕特里克突然想起。他走向校长的书桌,并寻找着那本日历。那本日历上记载着那天晚上的约会。

但是,那本日历却失踪了。

肖特拿起校长桌上的电话机，按了一组号码。他等了一会儿，直到有人来接听电话。

"晚上好，施坦克夫人，我是学校的管理员肖特。请原谅我这么晚来打扰您，但我必须同您的丈夫通电话。"

帕特里克紧张地等待着，现在将会发生什么事情呢？就在这时，他突然想起了一件事情，他觉得刚才的那位老人非常古怪。

冒险小虎队

请你回答的问题：

那位老人有什么古怪？

秘密记录

彻底失败

　　"晚上好,校长先生,您的学生帕特里克·施泰因布伦纳声称,您今天晚上在学校里遭到了袭击。"帕特里克愣在那里听着这位学校管理员打电话,只见他沉默了一会儿,然后傻乎乎地点点头。

"是的,是的,我也在想这件事,他应该在星期一课间大休息的时候到您那里报到。我会转告他的。"肖特说。

肖特在电话中向校长告别,然后放下了听筒。他闷闷不乐地眯起眼睛:"校长先生刚刚拜访了一位客人之后回到家里,他完全不可能在学校里,他很想知道,你为什么要编这样的谎言来骗警察。"

"这不是什么谎言!"帕特里克大声争辩。

"请你自己在星期一向校长先生本人解释吧!"肖特大声呵斥道。

警察板着脸看着帕特里克,没有说一句话。此时此刻,帕特里克恨不得马上钻到地底下去,因为他经历了最惨重的失败。

当他回到家时,已经是晚上九点半了。他的母亲从客厅里冲出来。

"你到哪里去了?"施泰因布伦纳夫人用颤抖的声音问道。

"我去拿我的足球鞋了。"帕特里克看着地面回答。

"你的鞋子在哪里?"施泰因布伦纳夫人继续盘问。

帕特里克大吃一惊,混乱中他完全忘记了从更衣室里取鞋子。"我……我又把它……忘记了。"他如实回答。

施泰因布伦纳夫人生气地摇了摇头:"你难道不能想出一个更巧妙一点的借口吗?"

"这不是什么借口。"帕特里克为自己辩护。

"你现在最好走进你的房间,这个周末你在家里关禁闭。"施泰因布伦纳夫人说。

"但是,明天有足球比赛!"

"没有你,你的球队照样踢得很好。"

"至少您也应该允许我去看望一下路克和碧吉。"帕特里克小心地试探着说。

"这我今天还不能答复你。"

帕特里克叹了一口气,苦着脸走进了自己的房间。他觉得自己非常痛苦,好像已经很久没有这样痛苦过了。但是,他并没有搞错,所有的一切正如他向警察所阐述的那样发生了。

那个光头是谁?

帕特里克根本不想睡觉,他拿出小虎队的密码卡,给碧吉和路克写了一份简短的报告。他拿着这份报告,蹑手蹑脚地走到前厅,用传真机发了两次传真。

他的父母亲正端坐在电视机前,幸好没有听到他的声音。他焦躁不安地等待着队友的回答,他们到底有没有收到他的信息呢?

时间一分一秒地过去了,客厅里传来了电视节目结束的旋律。

帕特里克不得不回到自己的房间去。如果父母亲在传真机旁发现了他,肯定会第二次责骂他,而且还会带来整个星期的家庭禁闭。

随着"咔嚓"一声响,传真机开始运行了。显示屏上出现了小虎队队员碧吉的电话号码,一串用密码编排的文字从传真机里嘎嘎地吐出来。第二页应该还会来,但是帕特里克等不及了,因为他已经听到自己的父母亲站起身来的声音,他们肯定会随时走进这个前厅。

他倏地一下闪进自己的房间,刚刚把房门关上,他的父亲已经走到电话机旁,拎起电话机拨了一个号码。

碧吉传来的信息的全文是:

有 大 ↑ 那 所 这
访 二 去 一 个 里
切 有 来 人 这 不
名 没 一 山 者 是
去 来 的 起 好 听
走 很 有 也 来 字
并 怪 无 很 看 都
还 怪 千 出 是 古
　　 　 诞 ↓

碧吉对此是怎么认为的呢?

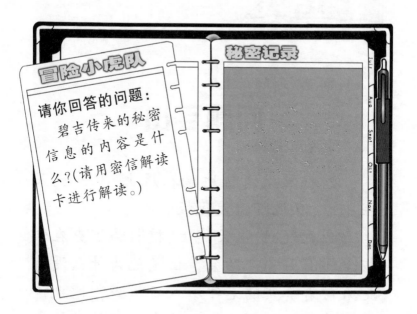

问题百出

帕特里克清醒地躺在床上,双手交叉在脑后,双眼盯着天花板。

毫无疑问,这天晚上,校长施坦克在学校里还有另一个约会,但是他为什么没有把来访者真实的名字填入日历呢?他也许根本就不认识那个人?这个神秘的来访者到底是谁呢?

为什么施坦克会失去知觉地坐在地上,但是又能在短时间内出现在家里,并且重新恢复清醒和健康呢?帕特里克对此找不到答案。

第二天早晨,电话铃很早就响了,帕特里克的母亲边敲门边叫喊:"你的电话,快点!"

是足球队的教练打来的电话，他想在上午就把所有的队员都集合起来。

"唉，有……还有一个问题。"帕特里克结结巴巴地说，因为母亲还站在旁边，他迅速把话筒递给了母亲，"妈妈，这是我的教练，你得对他说几句。"

施泰因布伦纳夫人喘了一口气，她别无选择，只好接过电话。

"帕特里克是我们的希望，没有他我们将毫无机会。"教练向她解释道。

施泰因布伦纳夫人深深地叹了一口气，只好同意儿子参加今天的这场比赛。

"但是，你一定得早点回家。"她再三嘱咐道。

在帕特里克去足球俱乐部之前，三只小虎先在中国金虎餐馆的一个地下室里会面，那里是小虎队的秘密据点。

在侦探破案的琐碎工作中，帕特里克、路克和碧吉在这里创建了一个真正意义上的工作室。微型的实验室，电话机和传真机，

冒险小虎队 MAOXIAN XIAOHUDUI

连接着因特网的电脑,一架子图书,保存着各种各样的证据的盒子,以及他们在破案时所需要的各种工具等等,这里应有尽有。

帕特里克再一次向另外两只小虎详细地讲述了所发生的事情,路克和碧吉好奇地听着。

路克似乎已经弄清了来龙去脉:"这个校长不想让人知道他在学校里的会面,所以他撒谎了。"

"但是,他为什么会失去知觉呢?"帕特里克问。

对此,路克也不知道答案。

碧吉推断说:"整个事件看起来似乎是,那个光头让人昏迷,并且很快又能让人恢复清醒。很显然,他在肖特、'响鼻鬼'和你的身上都使用了这种方法。"

路克点了点头:"是的,是有这种药物的,它能让人迅速地从昏迷中清醒过来。"

帕特里克想起了那个带着狗的老人,他在整个事件中又扮演了什么角色呢?

"但是,这个光头是谁呢?"帕特里克疑惑地看着他的队友们。

"对此,我们只有一个答复,"路克答道,"施坦克校长本人。"

因为帕特里克必须去足球场,于是碧吉和路克决定拜访一下这位校长。他们知道,校长住在一幢蒂罗尔人风格的乡村别墅里,这幢别墅与当地的建筑格格不入。

当他们骑着自行车到达别墅时,施坦

冒险小虎队 MAOXIAN XIAOHUDUI

克先生正躺在花园里的一张躺椅上看报纸。

"您好，校长先生。"碧吉叫道，并热情地对他招手致意，似乎在星期六仍然能够看到校长是件非常高兴的事。

施坦克先生正沉醉在报纸之中，他眯起眼睛，随意应了一声，算是打了个招呼。

"我们得问您一些重要的事情。"碧吉接着说道。

这位校长站起身来，但没有走到栅栏这边来，而是打开了车库的大门，取出了一辆男式自行车，解释道："我现在没有时间，我有急事要办，必须马上离开，你们在星期一到我的办公室里来吧。"

路克皱了皱眉头，小声说："这个家伙为什么要这么快地摆脱我们呢？"

"是的，他也许不愿意让学生们在周末打扰他。"碧吉认为。

"不，这后面隐藏着其他的东西，他肯定在某些事情上欺骗了我们！"路克说。

40

冒险小虎队

请你回答的问题：
　路克指的是什么？

秘密记录

一个骨瘦如柴的男人

两只小虎在离开那幢蒂罗尔人风格的乡村别墅一段距离之后,接着马上返回,并在栅栏的一个拐角处停留下来,等待着接下来将会发生什么事情。

路克的判断是正确的,校长没有出门,他也没有给自己的自行车打气。

两只小虎等了一刻钟之后,碧吉有点不耐烦了:"我们要么采取行动,要么就离开。"

"不,我们还是再等一会儿吧!"路克轻声说。

半个小时过去了。碧吉声音很响地吃着一块榛子巧克力,她刚吃完一块,紧接着又吃第二块,然后是第三块。"你的咀嚼声太大,简直让我无法忍受!"路克抱怨道。

"你就那么脆弱吗?"碧吉讥笑道。

路克朝她扮了一个鬼脸。

校长住在一个特别安静的地区,街道上空无一人,偶尔有几辆汽车从两只小虎的身边驶过,因此,别墅里两个人之间的争执声听起来就特别清楚。

"唉,没有人吃得下这种猪狗食!"别墅内,一个男人在大声嚷嚷。

"这声音听起来有点像'响鼻鬼'校长的声音,"碧吉轻声说,"你还记得吗,当时有人在楼梯间的墙壁上喷上了愚蠢的格言,他是怎样大发雷霆的吗?当时他就是这样嚷嚷的!"

路克点点头。

"阿尔弗里德,请你安静些!"一个女人恳求道,"到底是什么东西触怒你了?"

"你完全应该去参加一个烹饪学习班。"施坦克校长继续大声叫道。

"请你安静一下,阿尔弗里德,我还有

一个比萨饼放在冷藏箱中!"他的太太也叫了起来。

然后,一切又沉寂了下来。一分钟之后,汽车发动机的声音响了,汽车直接朝两只小虎躲藏的那个栅栏拐角处驶来, 两只小虎吓得不敢直腰。

"这是校长的汽车吗?"碧吉轻声问。

"我没有看见他的人。"路克嘟哝着。

"我们现在该做些什么呢?"碧吉问。

路克挠挠头皮,他也想不出什么主意。

最后,他们决定回到小虎队的秘密据点去。

当他们推着自行车在人行道上行走时,背后传来了重重的咳嗽声。两只小虎吃惊地转过身去, 对面站着一个骨瘦如柴的男人, 那人不断地把一张卷起来的报纸朝自己摊开的手掌拍去。透过厚厚的眼镜玻璃,他的眼睛被放大了许多。

路克和碧吉本能地向后退了一步。

"我已经仔细地观察你们很久了,"这

个男人说话的声音很刺耳,"你们大概是来这里刺探情报的吧?"

"不,我们什么也没有做!"碧吉反驳道,同时露出一脸严肃的表情。

"那么,你们为什么在我们这么漂亮的住宅区里到处闲逛呢?你们大概想偷东西,并且在等待一个合适的机会,是吗?"这个男人对他们训斥道。

"您怎么会得出这样的结论呢?"路克

愤怒了。

"把你们的姓名和电话号码留下,我要到你们的父母那里去告状!"

"快,我们走。"路克对碧吉耳语道。

"小心,自行车!"碧吉大叫一声,并随手向右边指了指,当那人转过身去时,两只小虎迅速跳上他们的自行车,飞快地离去了。

"我要抓住你们!"那个男人在后面高声叫道。

碧吉和路克拐弯抹角地穿过一些狭窄的小巷,并不断地转过身来张望。那个男人没有从后面追上来,他是步行的,也不可能追上他们。两只小虎终于喘息着停了下来。

碧吉呆呆地独自望着天空。

"怎么了?"路克问。

"也许……我弄错了。但是,我好像看见了一些东西……"碧吉神秘地说。

冒险小虎队

请你回答的问题：
碧吉究竟看见了
一些什么东西？

秘密记录

July Aug Sept Oct Nov Dec

冒险小虎队

完全变样的丈夫

"你能肯定吗?"路克有点不相信。

"完全可以肯定。"碧吉现在头脑很清楚。

"但是,这又意味着什么呢?"路克不解地问。

"我们要不要再到校长的别墅里去看一看?"碧吉建议道。

经过短暂的思考之后,路克表示同意。

这幢蒂罗尔人风格的乡村别墅底层的一扇窗户开着,两只小虎听到了有人抽泣的声音。

"我……我不明白,到底是什么东西触怒了他,他一再对我做的饭菜发牢骚,但是,他以前却从来也没有如此暴怒过。"

48

　　"施坦克夫人在打电话。"碧吉低声告
诉自己的队友。没有多作思考,碧吉就轻轻
地打开了花园的门,并蹑手蹑脚地蜷缩着
身子走到那扇打开着的窗子旁边,小心地
通过窗台朝厨房里张望。

施坦克夫人正坐在一张凳子上，背朝着窗户。她用一只手交替地擦拭着眼睛和鼻子，另一只手拿着手机打电话。

"他昨天晚上就这么激动了，他把门砰的一声关上了，几乎没有跟我说过一句话。但愿我能知道，是什么事情触怒了他！"

施坦克夫人似乎还没有收拾厨房，里面一片狼藉。

"不，我不知道他到哪里去了，他也不想告诉我。啊，洛特，我是多么担心啊。"

碧吉蹑手蹑脚地回到路克身旁。路克正站在栅栏边望风。

"怎么样？"路克紧张地看着她。

"她觉得她的丈夫从昨天起发生了很大的变化。"碧吉说，"而且，我也看得出她的饭菜确实烧得非常差。"

"你怎么这么快就看清了这一切？"路克问。

"嗯，聪明人一看便知。"碧吉笑嘻嘻地说。

"昨天,我们这个'响鼻鬼'校长肯定真的发生了一些可怕的事情。"路克沉思着说,"所以,他现在完全改变样子了。"

碧吉吹了一声口哨,兴奋地说:"哎呀,我知道了!也许那个光头在'响鼻鬼'的耳朵里插了一张芯片,他现在可以用这张芯片来控制校长。这种情形我在电视里看到过。"

"在科幻片里吗?"路克笑着问。

"在一个时事述评节目里!"碧吉回答。

"一个被遥控的校长!我很喜欢这种想象。"路克笑着说,"首先,我们必须制造出这种遥控器来。"

两只小虎再次从看到过校长的车子的地方经过,但是,现在那个停车位却空了。

"你会不会弄错?"

"绝对不会!"碧吉连连摇头,"我甚至能够证明,在很短时间之前,这里刚刚有一辆车子开走了!"

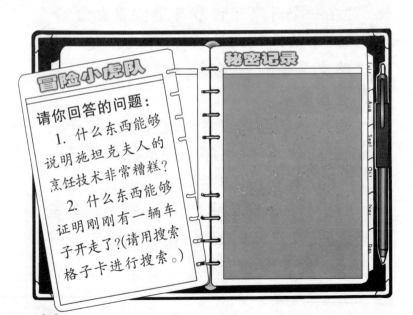

冒险小虎队

请你回答的问题：
1. 什么东西能够说明施坦克夫人的烹饪技术非常糟糕？
2. 什么东西能够证明刚刚有一辆车子开走了？(请用搜索格子卡进行搜索。)

秘密记录

冒险小虎队

不速之客

　　没有时间回小虎秘密据点了，因为碧吉和路克必须去为校足球队加油鼓劲。

　　"施坦克夫人完全是根据菜谱做菜的，她严格按照菜谱规定的剂量配菜，但是还是搞错了，因为那个台秤没校准。"碧吉说。

　　"那么，你又是怎么知道那辆车在不久之前刚刚从停车位里开出的呢?"路克问。

　　"非常简单，路旁的那棵李树上，有几颗李子掉落到街上，其中的一颗李子明显被汽车轮子碾过，但是，它却显得非常潮湿，呈浆糊状。今天的天气非常热，如果它不是刚刚才被车轮碾过的话，它早就干燥了。"

　　"不错。"路克表示同意。

　　到达足球场之后，两只小虎直奔更衣

53

室。当他们打开门,碧吉探头往里看时,T恤衫和运动裤向他们一齐飞来。

"出去,女孩止步!"一位足球队员大声喊道。

帕特里克迅速把两只小虎推出门外。

"你们知道吗,我们的学校参加了校际奥林匹克竞赛?"帕特里克问。

"什么是校际奥林匹克竞赛?"碧吉反问。

"这种校际奥林匹克竞赛每四年举行一次, 这个城市的所有学校都将参加。"帕特里克解释道,"在规定的某一天,主考官会来,并在所有的班级里分发测试登记表,每一个人都必须参加测试,测试内容包括数学、德语、生物、地理和历史。但是,测试表上面却没有分数,只标有学校的成绩点数,拥有最高成绩点数的学校将会得到一个新的运动场!"

小虎队希望自己的学校能够获胜,因为他们那个旧的运动场将不允许继续使用了。

"你们在施坦克校长那里有没有找到什么东西?"帕特里克问。

碧吉和路克向他简要描述了他们发现的情况,这时,帕特里克必须到足球场上去了。

这场比赛直到下半场结束也未能决出胜负。在加时赛里,帕特里克为他的学校射进了获胜的关键一球。

欢呼声顿时响起,帕特里克成了英雄。比赛结束后,教练邀请这个足球队的全体队员去参加一个小小的庆祝会。

"我们待会儿在小虎密室里会面。"路克和碧吉向他们的队友喊道。帕特里克点头表示赞同。

跟平时一样,两只小虎从老虎雕像旁侧身进入了小虎密室。这尊雕像在中国金虎餐馆的门口。路克打开了三道锁,并推开了门。

"噢,不对!"路克摇摇头说。

碧吉向门里扫了一眼,也有同感。

57

冒险小虎队 MAOXIAN XIAOHUDUI

　　有人秘密地闯入过小虎密室!这个人是在寻找什么东西吗?路克刚想走进去,碧吉却把他拦住了:"小心!否则你会破坏这些痕迹的。我们必须尽可能多地查明这个窃贼的情况!"

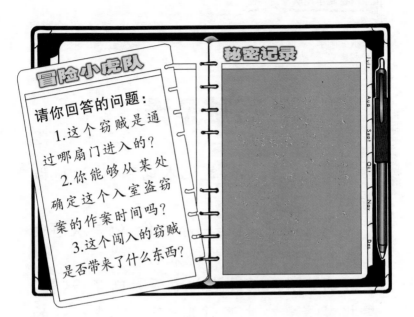

冒险小虎队

秘密记录

请你回答的问题：

1.这个窃贼是通过哪扇门进入的？

2.你能够从某处确定这个入室盗窃案的作案时间吗？

3.这个闯入的窃贼是否带来了什么东西？

窃贼是谁

路克拿出他的笔记本电脑,快速地做着记录。

毫无疑问,这是一个惯偷,他是从通往中国餐馆地下室的门进来的。

窃贼进入后马上把电源切断了,这样,警报装置就失去了作用,而且路克设计的所有监视装置也都失去了作用。窃贼既没有留下一张照片,也没有被摄下任何影像。

在那张传真纸的上部边缘,不仅留下了对方的传真机的号码,也留下了发传真者的姓名, 而且还有时间:11 时 49 分。因为这张传真纸还有一半插在传真机里,所以肯定是在那个时候停电的。

"那个架子上的灰色盒子是你放的吗?"

碧吉问路克。

"不是!也不是帕特里克放的。"路克回答。

"那么,这只能是那个闯入者带来的一件'礼物'了。"碧吉猜测着。

"这肯定是一个窃听器!"路克拿起盒子,并想把它打开,但是,盖子是封住的。

碧吉从盒子的侧面发现了一张纸条,它被一条胶带纸粘着。这是一张由电脑打印出来的纸条,纸条上的内容是:请马上把这个盒子送到史前时代的采石场!

两只小虎茫然地相互看了看。"我们应该这样做吗?"碧吉问。

路克点点头,但还是决定先等帕特里克回来后再说。

在出发之前,他们到吴先生那里去了一趟。吴先生是中国金虎餐馆的老板,他为小虎队免费提供了这个地下室的房间。

"有人通过您那地下室套间的门进入了我们的房间。"碧吉激动地向吴先生报告。

吴先生总是非常热情友好,他马上安慰两只小虎,并给他们拿来了刚炸好的春卷,以便让他们增强体力并保持镇静。路克和碧吉高兴地接受了他的春卷。

"是有一个人到过这儿,他想在地下室里查看一些东西。他说,他住在隔壁房间,那里的水龙头坏了,发生了水灾。"吴先生见两只小虎安静下来之后回忆着说。

"他的外貌看起来是怎样的?"路克问。

吴先生耸了耸肩:"我当时很忙,正好有许多客人来了,很遗憾,我没有记住他的脸。"

"这个人会不会是'响鼻鬼'施坦克校长呢?"碧吉沉吟道。

"肯定不会,倒很有可能是从学校里来的那个光头。"路克说。

碧吉骑着自行车去接帕特里克了,因为他是唯一看到过那个光头的人,他也许能够帮上忙,完成一幅模拟画像。

路克和吴先生一起坐到了电脑旁,准

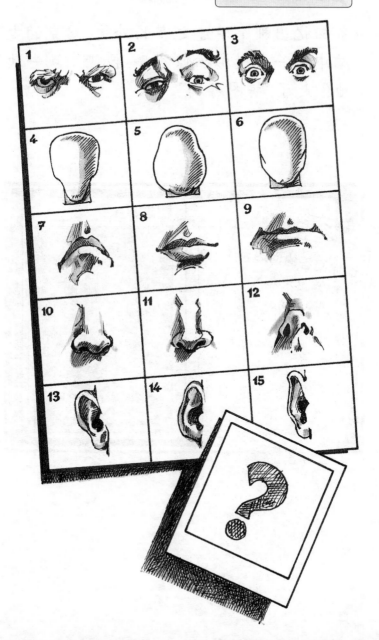

备回忆出那个不速之客的外貌。路克的电脑中有一个模拟画像程序,他俩一块一块地做起了"拼图游戏"。

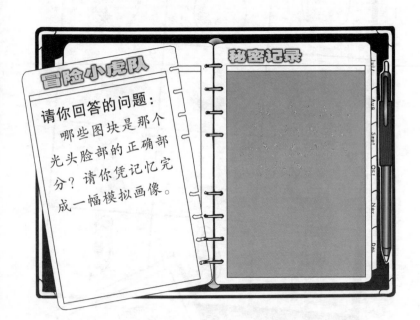

冒险小虎队

请你回答的问题:

哪些图块是那个光头脸部的正确部分?请你凭记忆完成一幅模拟画像。

秘密记录

史前时代的采石场

帕特里克回来了。帕特里克和路克一起利用电脑中的模拟画像程序，很快拼出了那个光头的模拟画像。"是的，他看起来就是这样的。"帕特里克满意地点着头，"这就是从学校里出来的那个人。"

他们把这幅模拟画像打印了出来，并

拿着它去找吴先生。但是这幅画像与吴先生刚才回忆出来的那幅画像完全不同，吴先生摇着头遗憾地说："对不起，这两个男人的外貌看

上去完全不一样。"

"整个工作都白费了!"路克叹息道。

"不,这不是徒劳的,我们现在至少拥有了那个闯入我们的密室的窃贼的一张画像。"碧吉安慰他。

"不知道是不是真的是这样,"帕特里克推测着说,"他或许真的是由于一次水灾而来。"

这可以很快地查出来。碧吉走到隔壁房间,并按响了门铃。隔壁的房客对水龙头坏掉一事一无所知。显然,那个陌生人撒了谎。

"那个男人到底在这里寻找什么呢?"帕特里克问。

路克指着那个由陌生人带来的盒子说:"我们把这个东西拿到采石场去,也许我们能够从那里了解到一些情况。"

当他们出发时,已经是下午六点钟了。

三只小虎大汗淋漓、气喘吁吁地来到了那个史前时代的采石场。据说,在这块高高的、带有裂缝的悬崖峭壁里曾经发掘出石器时代人类的一块燧石。碧吉有一次在那里还找到了几块史前时代贝壳的化石。

虽然白天非常热,但是现在骤然冷了下来。当小虎队队员们慢慢地走上这块高高的悬崖时,他们冷得不禁直打寒战。

"那么,我们现在应该做些什么呢?"帕特里克问。

路克耸了耸肩。

已经是九月底了,树上的叶子都已经变成了黄色的。风把干枯的树叶从树枝上吹了下来。

碧吉已经等得不耐烦了:"我们应该叫喊一下吗?"

路克又耸了耸肩,他紧紧地抱住自己的百宝箱,就像抱着一只玩具熊一样。他恐惧地用眼睛扫视着整个采石场,感到有些不妙。

"嗨,你还同我们说话吗?"碧吉高声训斥路克。

冒险小虎队 MAOXIAN XIAOHUDUI

"也许……我们应该马上离开这里。"路克建议道。

帕特里克赞成路克的建议，但是，碧吉却不想放弃。

"我们在这里该做些什么呢?请你们好好想一想!"碧吉又提高了嗓门。

"这个盒子上只写着，我们应该把它带到这里来。"路克喃喃地说。

"也许，那个人只想把我们从秘密据点里诱骗出来，这样，他就可以在那里不受干扰地寻找他想要得到的东西。"帕特里克若有所思地补充说。

"不，恐怕不完全是这样。"碧吉说，"肯定还有别的原因。"

路克把那个盒子放在一块岩石上，并对另外两个人做了一个手势。三个人迅速回到自己的自行车旁，并跨上了自行车。

"这是一个愚蠢的行动。"碧吉很不情愿地说。

就在这时，那个盒子爆炸了。巨大的火

焰喷发出来,顿时,滚滚黑烟升向天空,连岩石也被染成黑色的了。

爆炸带来的热量是如此的强大,以至于三只小虎虽然离得很远,但仍能感觉到它巨大的威力。它就像一股火热的风暴,似乎要把三个人都卷走。

"我们赶快走吧!"路克吓得快说不出话来了。

这一次,碧吉不表示反对了。

可怕的发现

星期天上午,小虎队队员们在路克家碰面。路克与父母亲一起住在一个带有室内游泳池的豪华别墅里。

"这些照片上到底有些什么呢?"帕特里克好奇地问路克。

路克在冲洗那些照片。他的家里有一个迷你实验室。

碧吉心有余悸地说:"如果那个盒子在我们的秘密据点里爆炸的话,那将是一场大灾难!"

"我敢断定,这应该是一个警告。"路克沉吟道,"我们必须认真地对待它。"

路克的母亲很友好地用冰淇淋和点心招待小虎队队员。

但是，三只小虎不想被打扰，于是他们来到室内游泳池里，甚至把门也锁上了。

路克带来了他的盒式录音机，并放进一盒有着游泳池声响的磁带，一旦母亲来查看的话，她就会认为，他们正在进行一场水战，这样她便会放心地走开。

"那么，你现在又查出了什么呢?"帕特里克和碧吉好奇地看着他们的队友。

当路克向他们出示那些照片时，他的手有点颤抖。其他两只小虎则好奇地弯腰察看着。

"你们知道吗，这意味着什么?"路克透过眼镜的镜片盯着另外两只小虎。

碧吉还是不能理解："但是……但是，这辆自行车也许属于另外一个人的吧?"她结结巴巴地说。

"我不这么认为，车上的两盏前灯就是证明。"路克说。

"但是，他为什么要这么做呢?"帕特里克问。

　　路克扬了扬眉毛："我也说不上为什么，如果我们向某个人讲述这件事，也没有人会相信我们。无论如何，我们今天都不能采取行动。"

　　"那么，星期一呢?"碧吉问。

　　"我们在课间大休息的时候到施坦克校长那里去报到，也许我们到时候还能了解更多的情况。"

　　碧吉的父母亲想在这天下午去看望一

位年长的阿姨,让他们感到惊奇的是,碧吉也要跟着一起去。当然,碧吉对这个阿姨没有什么好感,因为她经常不断地抱怨自己的衣服款式和发型。

路克整个下午是在自己的房间里度过的,并且浏览了三本关于犯罪侦查学方面的书籍。

帕特里克最初想进行体育锻炼,后来他却决定在城市里做一次自行车自助游。

　　他毫无目的地骑车兜风,穿行于大街小巷,
但同时又打算通过骑车巡视每一条狭窄的
胡同。

　　天气很好,临街的露天咖啡吧里顾客
盈门。帕特里克从咖啡吧旁边骑过的时候,
仔细地打量着那些坐在小桌子旁的人。突
然,他双手同时用力刹车,险些倒在地上。

　　坐在露天花园式咖啡吧里的几个人注
意到了他,并幸灾乐祸地偷偷嘲笑他的刹
车行为。他匆忙地骑上车离开了。他的心脏
在狂跳,并因为紧张而汗水直淌。

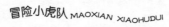冒险小虎队 MAOXIAN XIAOHUDUI

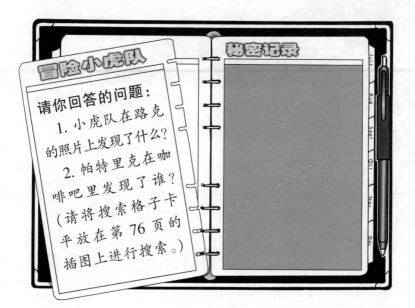

冒险小虎队

请你回答的问题：

1. 小虎队在路克的照片上发现了什么？

2. 帕特里克在咖啡吧里发现了谁？（请将搜索格子卡平放在第 76 页的插图上进行搜索。）

秘密记录

难以置信的怀疑

帕特里克在一块广告牌的后面停住了,并仔细观察着这个咖啡吧。

毫无疑问,这个男人就是那个光头。但是,今天他却戴着一个假发,并正与一位红发女郎沉浸在热烈的交谈之中。那女郎不断地发出银铃般的笑声,并用手遮住嘴巴。这两个人似乎谈得非常投入。

半个小时之后，那个男人付了钱，并且吻别了那个女郎，然后钻进一辆深蓝色的轿车里飞驰而去了。显然，跟踪是不可能的。

帕特里克突然产生一个想法，他跑到那两个人坐过的那张桌子旁，拿起了那个男人用来喝过矿泉水的玻璃杯。

"你在那儿干什么?"一个正欲收拾桌子的女招待问他。

"我能把这个杯子拿走吗?我的收藏品里正好还缺少这种杯子。"帕特里克随口编造说。

冒险小虎队

请你回答的问题：
　帕特里克为什么要这样做?

秘密记录

"你在收集玻璃杯?"那位女招待不相信地看着他。

"我已经拥有100多只杯子了!"

"太好了,我从很小的时候起就收集鞋后跟了,因为我的父亲是一位鞋匠。"这位女招待说,"这个杯子你拿去吧,反正它也不值钱。"

帕特里克说了声谢谢,然后带着他的"战利品"离开了。

突然,帕特里克又想起了一个重要的问题,他掉头往回走,并刚好在那位女招待消失在厨房里之前追上了她。

"对不起,请问您认识刚才坐在这张桌子旁的那个男人吗?"他客气地问。

"我不知道他叫什么名字,但是他经常到这里来,并且总是与漂亮的女士们见面。"女招待回答。

"有这个信息总比什么也没得到好。"帕特里克自言自语着骑车到碧吉那儿去了。

碧吉不在家。帕特里克又给路克打电

话,但只听到录音电话的声音。

这样,碧吉和路克在星期一才了解到帕特里克发现的新情况。小虎队队员们通常每天在公共汽车站碰面,但是这一次他们却没有乘公共汽车,而是步行去上学,这样他们就能够不受干扰地相互交谈。

"总之,这是非常严重的事件。"碧吉这样认为,"我们应该在下午去监视那个咖啡吧,也许那个光头又会出现,那样,当他离开时,我们就能够跟踪他,并能找到他的住所。"

三只小虎带着复杂的心情期待着课间大休息。一方面,他们害怕与校长会面;另一方面,他们又希望通过会面了解更多的情况。

三只小虎一起走进了校长秘书布吕姆里希小姐的办公室。这位女秘书用电话向校长报告了小虎队的到来,然后转身对三只小虎说:"校长先生已经在等候你们了。"

阿尔弗里德·施坦克坐在书桌的后面。

他眯起眼睛,仔细打量三只小虎,并保持着沉默。

碧吉、路克和帕特里克都觉得很不舒服。

"你们为什么会提出这样疯狂的看法?你们为什么要在我家四周偷偷摸摸地来回走动?当我离开家时,为什么要闯入我家的花园?"这位校长突然用一种粗暴的口气说。

三只小虎沉默地看着地面,他们应该回答什么呢?

最后,帕特里克打破了沉默,他的声音很轻:"我……我看见您坐在地板上,就在这里,在您的办公室里,您失去了知觉……我并没有做梦。"

施坦克先生甩开手,拍了一下桌子,那些叠起来的文件和本子都跳了起来。

"完全是一派胡言!如果你们不停止这种谎言,那么你们必须承担一切后果。你们甚至有可能被赶出这个学校!"校长威胁道,"这一次我原谅你们,但是,一旦再有这种疯狂的言论传入我的耳朵，那么就别怪我不客气了!"

门被打开了，布吕姆里希小姐拿着一个文件夹走进来。

"所有这一切都是要您签字的，校长先生。"她说着把文件夹放在了书桌上。

"等这三个'业余侦探'离开之后，我就会签字的。"

"您还要在课间休息之后马上播出广

播通知呢。"女秘书提醒他。

"啊,是的!"施坦克先生把三只小虎推出了他的办公室,并最后一次警告他们,不要散布任何谣言。

三个人耷拉着脑袋回到了教室,他们的侦探工作没有任何进展。

上课铃响了,学生们都在教室里坐好了。安装在黑板上方的喇叭里发出了声响,校长在讲话。校长谈到了即将来临的校际奥林匹克竞赛的有关情况:"这场比赛将在下星期一举行。作为训练,今天有一个模拟测试,你们现在马上就将进行这个测试。望你们努力一些,并取得好的成绩!请你们想一想那个新的运动场吧! 在这一周的时间里,所有的杂事都要为这次校际奥林匹克竞赛让路。"

当这些测试表被分发下来时,班级里第一次没有出现任何的牢骚和诉苦。因为这一次测试并不涉及到分数,测试的题目与教学的内容无关,都是一些常识性题目。

所有的人,即使是最懒惰的学生也显得雄心勃勃了。

路克很快就填完了测试表,并再次检查着答案。突然,他停住了,并开始全身颤抖。如果他的怀疑符合事实的话,那么在这个学校里发生了一件完全令人难以置信的事情。

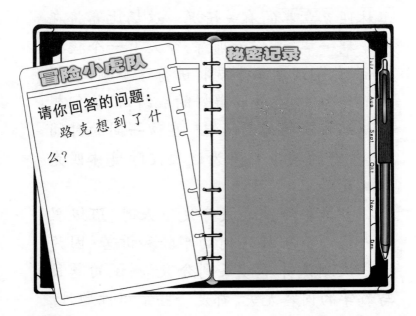

冒险小虎队

请你回答的问题:
路克想到了什么?

秘密记录

调查取证

路克马上给碧吉和帕特里克写了自己的想法，并把两张纸条折叠起来，抛向他的队友们。另外两只小虎看了感到非常吃惊，他们高高竖起大拇指向他表示赞同。

这节课结束时，老师把这些测试表收集起来，并拿到了校长办公室。三只小虎溜到了操场的后面，并坐在一堵小矮墙上。碧吉分发榛子巧克力给大家，她总是随身带着巧克力。这三个人的行为举止看起来似乎是在边吃东西边开玩笑，但是事实上，他们的谈话是相当严肃和紧张的。

"施坦克校长为什么突然不再从鼻腔里发出响声了？难道他改掉这个毛病了吗？"帕特里克问。

路克摇了摇头,说:"这可能意味着我们不是在同真正的施坦克打交道,而是同一个与他的外貌极为相似的人,即一个装扮成施坦克的人打交道。"

帕特里克对这个意见似乎并不是很赞同:"这到底是怎么回事呢?难道这个家伙戴着一个逼真的面具?但这样他肯定也会在家里继续扮演这个角色,这会引起他妻子的注意呀。"

"情况正是这样的!"路克说,"施坦克夫人在电话里跟另外一个人讲,她的丈夫发生了一些变化。"

"但是,到底是谁干掉了我们的校长,并接替他的职位呢?"碧吉感到惊诧不已,"这里只是一所学校,又不是国家重要的部门,更没有万贯家产!"

"我们需要证据来证明我们的怀疑!"路克大声说。

"我会拿出证据的!"碧吉立刻作出反应。

冒险小虎队

请你回答的问题：
　碧吉指的是什么证据？

秘密记录

"嗨，好一个机灵的小姑娘！"路克夸奖道。

"嗨，真是个愚蠢的小男孩。"碧吉学着他的口吻回敬道。

"我家里有一份施坦克校长亲笔签名的原件。"帕特里克想起来了，"我今年上半年赢得学校冠军时，他曾在一份体育运动证书上签名。"

"太棒了！然后我们再搞到几份这个假

施坦克今天签名的那些信件。"路克得意地说,"我们把它们借出来,然后比较一下这些签名。"

"但是,这个假施坦克知道我们对他起了疑心。"碧吉思考着补充说,"他多次尝试着摆脱我们,并恫吓我们,我们必须特别谨慎小心。"

男孩们同意她的意见。

当小虎队走进校长的办公室时,布吕姆里希小姐并不在她的坐位上。于是,碧吉在边上望风,两个男孩靠近她的书桌。

"我一直在想,我的写字台上为什么总是乱七八糟的,没想到竟有人比我还乱。"当路克看到书桌上乱七八糟时轻声说。书桌上至少有50份签名信件到处散乱地放着。

"我不相信这个假施坦克在所有这些信件上都签了名,其中肯定有一些是上个星期留下来的,是那个真正的校长还在这里时签的名。"帕特里克轻声说。

路克动作飞快地把几份信件迅速藏进自己的毛衣里，布吕姆里希小姐肯定不会发现遗失了这些东西，这样，小虎队就能在第二天神不知鬼不觉地把它们送回来。

三只小虎一直不敢回到自己的秘密据点里，所以下午他们在帕特里克那儿碰面。他们把所有的信件在自己面前摊开，并仔细观察这些信件。

"这些签名没有什么不同嘛！"碧吉有点失望。

"我们必须仔细地核对笔迹！"路克说。

体育运动证书

帕特里克·施泰因布伦纳在本校100米赛跑中获得第1名。

阿尔弗里德·施坦克

1999年6月3日

请你回答的问题：

你看出名堂来了吗？

"百变艺术家"

碧吉沉默着靠在窗边，向外凝视着街道，很长时间一言不发。

"你的两片嘴唇是不是长在一起了？"两个男孩问。

"胡说八道！"碧吉两眼一瞪，"我只是想让前三天所发生的一切，在我的大脑中重现一下。这一过程人们常常称之为思考。但是，你们男孩子却不知道这些！"

"哈哈！"帕特里克和路克同时笑出了声。

"这几天发生了这么几件特别奇怪的事情。"碧吉掰着手指说，"一开始是那个男人，他一会儿用左手拿拐杖，一会儿用右手拿拐杖；后来，当我们监视施坦克时，在我们的身后出现了那位多疑的居民；此外，施坦克的汽车很偶然地停靠在附近；另外，一个不知名的人闯入了我们的秘密据点；现在，又有人假扮成施坦克校长。"

"你对这些到底想说些什么呢？"路克问。

"那个光头的出现与校长的失踪肯定有联系，这是没有什么可以值得怀疑的。那个光头也许自己在扮演所有这些角色，他或许是一个'百变艺术家'。"碧吉补充说。

路克把双手交叉在脑后，若有所思地说："这个想法不错。那个光头在施坦克家里发现了我们，于是马上更换衣服，并驾驶着施坦克的车跟踪我们，企图阻碍我们查案，探听我们的底细。如果他是个惯犯的话，那么他一定能够改变自己的形象。"路克这样认为。

帕特里克不以为然："但是，肯定也会有一些一成不变的东西。"

"一个真正的'百变艺术家'无所不能，

冒险小虎队 MAOXIAN XIAOHUDUI

他甚至可以改变自己身材的高矮,为此,他只需在鞋子上装上不同高度的后跟即可。"

但是,帕特里克却坚持自己的观点。

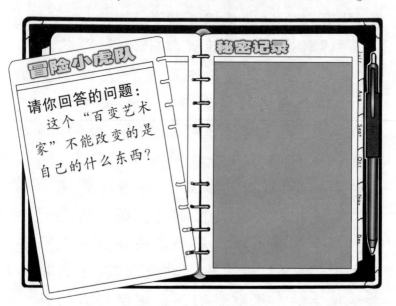

"唉呀,帕特里克,你昨天有着敏锐的嗅觉。"碧吉叫了起来。

"怎么回事?"帕特里克惊奇地看着碧吉。

"你昨天不是从咖啡吧里拿回来一只玻璃杯吗?那上面肯定有那个光头的指纹。

我们只需把那上面的指纹与假校长的指纹对比一下，就会知道我们的怀疑是否正确。"碧吉补充说。

"但是我们怎样才能搞到他的指纹呢?"路克问，"那位假的施坦克校长已经被惊动了呀。"

碧吉用尖尖的手指拿起那些信件中的一封信:"这些信件中,有些信件上的签名是伪造的,在伪造签名的信件上,肯定能够找到这位假施坦克的一个指纹。"

"那么，我们应该怎样提取这个指纹

呢?"帕特里克问,"用普通的煤粉或者滑石粉恐怕是无法完成任务的。"

碧吉也想到了这一点:"我们拿着信去警察总署,那儿有位刑事侦察员龙格,我们曾经帮助过他,你们是否还记得?"

两个男孩知道碧吉指的是谁,龙格警官确实还欠他们一个人情。

帕特里克兴奋极了:"如果这些指纹相吻合的话,我们就能够揭开这个混入我们学校的家伙的假面具了!"

闻所未闻的绝招

当三只小虎抵达警察总署时，警官龙格正要离开自己的办公室。

"您能抽出几分钟的时间跟我们谈谈吗?"碧吉用诚恳的眼光注视着他。

这个警官深深地叹了一口气，重新打开了房门:"请进,同行们!"

路克小心翼翼地从透明封套里拿出那封带有伪造签名的信。

"在这封信上,有一个我们正在查找的人的指纹。我们急需提取他的指纹。您这儿有没有方便的办法,让这上面的指纹显现出来?"

"我们有这样一种办法,"这个警官解释道,"可以添加几种不同的化学制剂,但是还要用到黄金蒸气和激光。另一种常用的方法,是采用吞噬细菌的方法。"

帕特里克做了个鬼脸:"这听起来似乎并不是那么美味可口。"

"吞噬细菌是一种微生物,人们只能在高倍显微镜下看见它们。这种细菌爱吃人类的汗液和滑石粉,也就是特别爱吃那些构成指纹的物质。把这种微生物放到经过处理的指纹上,它们马上会去寻找食物。过一会儿,它们就会附着在指纹上,显现出指纹的皮肤纹理。"

三只小虎非常惊讶。

"是否允许我们待在旁边,看看这一切是如何进行的?"路克恳求道。

龙格又叹了一口气:"唉,孩子们,你们让我为难了。"

"请您破例让我们看看吧。"碧吉说。

"似乎只能是这样了。"警官犹豫了一会儿,但最后还是点了点头。

龙格带着小虎队来到了警署大楼的第

九层，那里有一个实验室。龙格的一个同事接过了那封信，把它放进一台仪器里。这台仪器看起来有点像博物馆里的玻璃陈列柜，它的上方装着一架照相机。

"我们用激光来试试，这是最快的办法。"实验室的警官解释道。

三只小虎后退到了很远的地方。这位实验室的警官把一盏连着金属软管的灯放在最前端，并戴上了一副特制的眼镜。

"这副眼镜能够保护他的眼睛，并在眼镜上安装了一片滤色镜片，通过这副眼镜才能看见可能存在的指纹。"龙格轻声地对三只小虎讲。

这个房间是个暗房。那个警官开始用一种红色的光束在那封信上搜寻，照相机不断地发出"咔嚓"声。当他把激光关闭之后，他打开了天花板上的顶灯，宣布说："这张纸上存在着多个不同的指纹，我把所有的指纹都拍下来了，它们的质量都很好。"

小虎队还必须在这个警官的办公室里

再等上半个小时，直到那些照片被冲洗出来。

三只小虎向两位警官表示了感谢之后，便激动地回到了帕特里克的房间里。借助于滑石粉和胶带纸，他们把从咖啡吧里拿来的那个玻璃杯上的所有指纹都一一提取了下来。现在需要与那封信上的指纹进行对比，这是一项艰苦的工作。

玻璃杯上的五个指纹

信件上的指纹

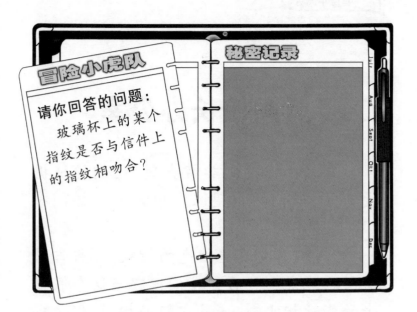

冒险小虎队

请你回答的问题：
玻璃杯上的某个指纹是否与信件上的指纹相吻合？

秘密记录

勇闯校长办公室

三只小虎感到非常失望,他们的证据没有了,他们的希望像空中楼阁一样倒塌了。

"我们需要真施坦克的指纹。"碧吉若有所思地说,"然后,我们把它与这个假冒者的指纹相比较,如果它们不相同,那么我们就有了新的证据,能证明确实存在着第二个施坦克。"

两个男孩觉得这个主意很好,但是,他们应该到哪里去提取那些确实出自阿尔弗里德·施坦克校长本人的指纹呢?

星期二,小虎队始终在尝试着偷偷溜进校长的办公室。

在最初的几次休息时根本没有机会,

施坦克校长与几位老师一起在他的办公室里谈话。在第四节课时，施坦克校长又通过广播向全体学生做报告。

"全校的学生们，通过你们和你们的老师的辛勤工作，校际奥林匹克竞赛的测试表已经批改完毕，其结果是出奇的好。"

各个教室里爆发出一片欢呼声。现在，离获得那个新的运动场似乎进了一大步。

"然而，我也得到了其他学校的测试结果，现在不得不遗憾地告诉你们，他们的测试结果比我们的还要好一些。出于这个原因，你们的老师将会和你们一起，在这个星期里为这场校际奥林匹克竞赛进行训练，而且，我也恳求你们要全身心地投入训练。"

学生们失望地发出叹息声。

在接下来的一次休息时间里，小虎队又一次从校长办公室门口路过。这一次，门开了一条缝。

三个人几乎同时叫道："我知道了，我

们需要什么。"

现在,他们必须搞到这样东西。在这样东西上面,估计会存在真施坦克的指纹。

冒险小虎队

请你回答的问题：

小虎队要搞到什么东西呢？

秘密记录

阿尔弗里德·施坦克走出了他的办公室，并大步走向教师专用厕所。

布吕姆里希小姐，那个女秘书正好也不在她的坐位上。

"谁敢去？"帕特里克问道。

"很显然，你不敢去。我去！"碧吉这样决定了，并迅速溜进了校长办公室。

几乎就在同一时刻，布吕姆里希小姐走上了楼。路克迅速拿起她书桌上的一张报纸,迎面向她跑去。

"这个……这个您必须仔细看一下!"路克显得有点儿激动地叫道。

布吕姆里希小姐惊讶地看着他。

路克用手指敲着报纸头版上的一个标题,标题的原文是:世界上规模最大的侦探大会即将在本市召开。

"那又怎么样?"布吕姆里希小姐问道,并皱了皱鼻子,似乎路克把一些发臭的东西递到了她的面前。

"这难道不令人激动吗?"帕特里克插嘴道,"无论如何这都是我们城市的一种荣耀。"

两只小虎就这样把这个女秘书挡在了自己的前面,使她无法从他们身旁通过,也无法看见那敞开的校长办公室的门。

"喂,你们在这里究竟在讲些什么怪诞的故事啊?"碧吉的声音从身后传来,"我也可以看一下这张报纸吗?"

路克没有转身就把这张报纸向后递过去,他明白碧吉为什么需要这张报纸,她想把那个拿出来的奖杯包在报纸里。

"你们到底让不让我过去?"布吕姆里希小姐有些不耐烦了。

"当然可以了。"帕特里克和路克齐声说着站到了一边。

女秘书摇摇头,面带愠色地"哼"了一声,趾高气扬地走了。小虎队带着他们的"战利品"迅速消失了。

帕特里克从学校回到了家里,他用一把软刷子把一种特殊的粉末轻轻地敷在那个奖杯上,顿时,几个相同的指纹显露了出来。这毫无疑问是那个真施坦克校长的指纹,因为他的全部自豪就是这些奖杯。施坦克会亲自擦拭每一个奖杯,然后把这些奖杯放在书架上一个显眼的位置上。

几分钟之后,电话铃响了。

"你找出什么没有?"路克问。

"我们在与一个假施坦克打交道!"帕特里克这样回答。

值得等待

碧吉和路克这天下午都很忙。路克去上一个电脑学习班,碧吉要去练体操。出于无聊,帕特里克又骑着自行车在这个城市里兜风了。位于中央广场的那个咖啡吧对他来说似乎是一块吸引人的"磁铁"。

然而,那个光头并不在那儿。帕特里克给自己买了一个冰淇淋,当他发现那个在星期天给他玻璃杯的女招待时,他又向她打听那个光头。

"昨天他没有来这里,今天也没有来!"这个女招待对帕特里克说。

帕特里克闲逛到一条长椅旁,这条长椅位于一个大喷泉的前面。他在那儿坐了下来,并观察着咖啡吧前的那些小桌子。

一个小时过去了，那个光头还是没有出现。帕特里克又等了一个小时，还是没有结果。最后，他站起身来，走向自己的自行车，打开了车锁。

这时，后面有人轻轻地拍拍他的肩膀，他吃惊地转过身去，看到了那位热情友好的女招待。

"你打听的那个男人来了，他的手上拿着一枝黄玫瑰，正在与一位头发黄中带红的女郎会面。"

帕特里克对女招待表示了感谢，并锁上自行车，走回到那条长椅旁。

那个光头戴着的那顶假发，让人想起了一个鸟巢，看起来极为滑稽可笑。他正在与那位女郎调情，两个人在"咯咯"地傻笑着。这时，那个男人弯下腰，脸紧贴在那个女郎的耳朵上，低声告诉了她一些事情。那位女郎愤怒地跳了起来，口中发出"嘘"声，骂了声"笨蛋"便快步离去了。

那个戴着假发的光头男人就像一条被

人抽走了骨头的狗一样瘫软了下来,两眼无光地目送着她离去。

帕特里克走到自己的自行车旁,但同时不让这个男人脱离自己的视线。

突然,这个戴着假发的光头男人盯了帕特里克一眼。帕特里克迅速将身子转向一边,但仍用眼角的余光观察着他。那个戴着假发的光头男人付了钱,马上离开了。他今天并没有开车来,而是步行来的,因此帕特里克可以毫无困难地跟踪他。

走过几条街之后,这个男人走进了一幢陈旧的出租公寓里。公寓墙上的涂料已

经剥落了,楼梯间里也非常寂静,当这个男人走上四层楼时,他的脚步声非常的响。

帕特里克与他保持着一定的距离,跟踪着他。帕特里克听到了一扇房门被打开的声音,接着是响亮而清脆的关门声,然后一切又恢复了平静。帕特里克踮着脚尖,蹑手蹑脚地走到四层楼,却停在了最后一级台阶上。从这里,他可以看到一条长长的走廊,在这条走廊上排列着许多房门,那个男人可能会走进哪一扇门呢?

冒险小虎队

请你回答的问题:
那个戴着假发的光头男人走进了哪一个房间?

秘密记录

监　视

帕特里克刚回到家,电话铃就响了。

"是你的好朋友路克,"母亲在客厅里叫道,"他已经打来过好几次电话了。"

帕特里克拿起听筒,果然是路克。

"你听着,我在我们的秘密据点里放了一台机器,我现在想把它开起来,但是我不敢一个人去那儿。你现在能来吗?"路克的口气很着急。

"那么,碧吉呢?"帕特里克问。

"不,她不想去。"

经过短暂的思考之后,帕特里克决定不"遗弃"这个朋友。他答应母亲最迟在晚上八点钟回家,然后骑上自行车走了。

那个在中国金虎餐馆地下室里的秘密

据点,看起来与三天前完全一样,路克轻轻地松了一口气,然后从那个高高的架子上最下面的抽屉里取出一个棕色的纸盒子。

"你有什么打算?"帕特里克问道。

"碧吉已经在暗地里跟踪监视施坦克夫人。"路克没有正面回答,"施坦克夫人在超市里碰到一位女朋友,并向她抱怨自己的丈夫,说自己的丈夫最近常常深更半夜才回家,并且一大早又离开了家。她不知道她的丈夫究竟遇到了什么事情。"

"我们快点儿吧!"帕特里克催促道。

"然而,施坦克夫人也多次在城里看见过她丈夫的汽车,但是她无法知道她的丈夫去了哪儿。"

"那么,这又怎么样呢?"帕特里克不明白路克说这些话的用意是什么。

"我们必须搞清楚这些。为此,我想把这台机器投入使用,它是我的一个美国阿姨送给我的。"路克说,"这是一台测向机,它会记录那个假施坦克开着车朝哪个方向走了,而我能够在方圆50公里的范围内接收到信号。"

　　帕特里克现在完全明白了,他激动不已,立刻帮助路克把接收装置打开,并安装好,同时把一根天线通过地下室的天窗向上竖起。

　　第二天,他们准备把这台测向机安装在施坦克的汽车上。

　　上午上课时,路克在必须马上去一趟厕所的借口下离开了教室。他蹑手蹑脚地走出校园,来到街上。施坦克的汽车就停靠在拐角处。这台测向机上安装着一块吸力很强的磁铁,路克把它吸在了汽车的底盘上。

　　当路克回到学校时,他并没有发觉自己受到了别人的监视。学校管理员肖特正站在一根柱子的后面看着他,并偷偷地冷笑着。肖特本想立即报告校长,但是这时恰好有一辆运送洗涤剂的汽车抵达学校,肖特不得不对付这辆汽车上的货物,因为在周末,所有教室的地面都要用这种洗涤剂清洗。在交接货物时,这位学校管理员与那个送货员发生了争吵,因此肖特最终也就忘记了向校长报告路克安装测向机这件事。

放学后,三只小虎直接到他们的秘密据点去了。路克开启了电脑,但是那个安装在汽车上的测向机却没有发出无线电信号,施坦克似乎还在学校里。路克没有关闭电脑,这样,只要测向机一工作,电脑马上就会记录有关的信息。

现在,三只小虎必须回家去,他们决定在下午五点钟重新在秘密据点里碰面。他们有一大堆作业要做,但这一次他们不感到气愤,因为这关系到在校际奥林匹克竞赛中获胜,并可以获得一个新的运动场。

下午四点三刻,阿尔弗里德·施坦克家里的电话响了。这位假校长拿起了听筒,打电话的人是肖特。肖特向他报告了有关路克安装测向机的事情,施坦克对肖特提供信息表示感谢。

施坦克马上跑进车库,在车子旁边跪了下来。他找到了那个测向机,并把它拆了下来。

"这些该死的家伙。"他骂道,并用一把大的扳手捣毁了这台测向机,随后坐进车里,扬长而去。

路克最先回到秘密据点,他看着屏幕,发现这种监视成功了,他的双手变得汗津津的。他给电脑输入了指令,把施坦克的行

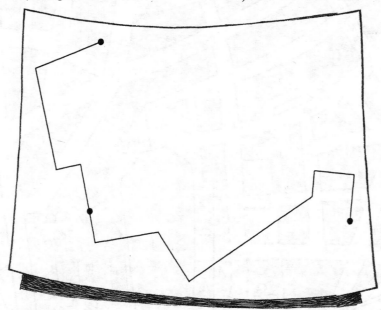

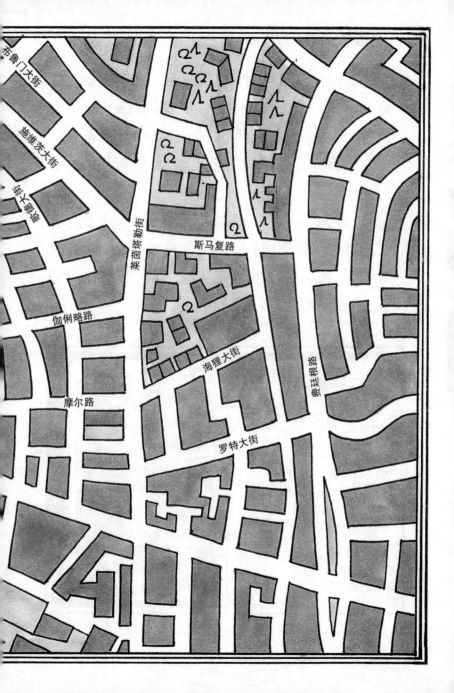

车路线打印出来。打印机里吐出来一张拥有弯弯曲曲路线的图纸，上面还有三个点。也就是说，施坦克有两次较长时间的停车。

"满意吗?"帕特里克和碧吉来了，他们好奇地问。

路克从书架上拿出一张本市地图，并把它打了开来。他们知道，施坦克从学校里开车出来，因此学校是起点，现在他们必须找出他曾经在哪里停留过。

冒险小虎队

请你回答的问题：

他第一次停车的地方是哪里?

把行车路线描摹在透明的纸上，然后把透明纸放在城市地图上。如果行车路线与街道的走向一致，那么你就可以找到相应的目标。

秘密记录

谁是闯入者

下午五点零三分，那个陌生人放在小虎队秘密据点的一个废纸篓里的另外一个盒子爆炸了。一团火球突然喷发出来，并迅速摧毁了周围的一切。

与这个秘密据点相隔两条街的某个地方，那个假施坦克正坐在校长的车子里，手里拿着一个小型的遥控器，这个遥控器的外型像一包香烟。

"也许这次爆炸过于强烈了，但是，无论如何，我终于摆脱了一些东西。"他满意地对自己说，并兴奋地想像着那纸片燃烧、各种仪器被毁的场面。他收起了遥控器，阴险地狞笑着。他从离得最近的一个电话亭里向施坦克夫人打了个电话，并且告诉她，他必须去参加一个会议,而事实上,他却有另外的目的地。

坐在中国金虎餐馆里的三只小虎并没有怎么觉察到这场爆炸。虽然院子里曾出现过一声爆炸声,但这根本没有引起三只小虎的注意。

原来,在前天晚上,路克在搞卫生时,把那个废纸篓里的东西扔到院子里的那个大型垃圾箱里了。他当时并没有注意到那个装有炸药的小盒子,因为他一心想着自己的那个测向机。

吴先生再一次用春卷招待了饥肠辘辘的三只小虎。

"下一步怎么办?"碧吉疑惑地看着两个男孩。

"今天太晚了,明天我们去一趟齐根路,在那里查一查。"路克建议道。

"我们难道不应该把那个光头叫来,然后训斥他一顿吗?"帕特里克建议道。

"我认为把他叫来当面训斥一顿太危

险了，最多只能巧妙地探寻一点情况。"碧吉接过帕特里克的话头，"无论如何，你都不能做这件事情,因为他已经认识你了。"

这时,帕特里克好像突然想到了什么："那时我站在咖啡吧附近，我太引人注目了,他肯定觉察到了这一切。"

"你暗地里跟踪监视他,难道他丝毫没有觉察到你吗?"路克问。

"是这样的，"帕特里克说，"他仔细地看了看我,似乎显得根本不认识我。他的眼睛里并没有流露出那种认识我的目光,根本没有。可是他应该看到过我的脸的呀!"

碧吉和路克也觉得这件事非常古怪,但是,他们对此也作不出任何解释。

他们为星期四作出了如下的安排:碧吉负责监视那个光头,两个男孩则去一趟齐根路。

碧吉在下午四点多一点走进了那个光头居住的那幢房子。一个男人嘴里叼着一根香烟，正在冲洗楼梯。碧吉看到这个男

人,突然想到了一个主意。她装出一副腿脚
受伤的样子,蹒跚着朝这个男人走去。

"对不起,"碧吉同他打招呼,"我想去
看望我的叔叔,但是如果他不在这儿的话,
那么我就省得再爬到四楼上去了。"

这个男人并没有抬头看一眼,而是继
续无精打采地清洗着楼梯。"你的叔叔是

谁?"他嘟哝着,同时把香烟往嘴里塞了塞。

"他住在七号房间。"

"啊,是路易波特先生。"这个男人嬉皮笑脸地说道,"我根本不知道,他还有一个这么漂亮的侄女。"

碧吉觉得这个男人有点令人恶心。"我的叔叔到底在不在?"她不耐烦地问。

"我没有看见他离开过。"

这时,从楼上传来了"砰"的一声关门声,有人高兴地吹着口哨沿着走廊走出来。

"这就是他,我熟悉他的口哨声。"这个男人解释道。

"谢谢,那么我就在外面等他!"碧吉急忙溜之大吉。她走到一个公共汽车站的后面,并躲了起来。

"如果这个名叫路易波特的人听到他的'侄女'在打听他的情况,他会作出怎样的反应呢?"碧吉问自己。

一个长着乌黑头发的男人吹着口哨离开了这幢房子,他的手上拿着一束鲜花和一盒夹心巧克力糖。碧吉暗地里跟着他。

这个男人上了公共汽车，他在前排坐位坐下，碧吉在后排坐位坐下。这个男人到终点站才下车，然后又走了很长一段路。

他的目的地是一幢非常漂亮的小房子，这幢小房子位于一个修饰得非常整洁的花园之中。

这个男人按响门铃之后，门打开了，一个矮胖的女人冲了出来，并且狂热地拥抱这个男人。

"我要给你一个惊喜！你将会感到无比惊奇。"她对他说，"但是，我们首先得去吃点东西！"

当这两个人消失在这幢房子里时，碧吉小心翼翼、蹑手蹑脚地走到栅栏旁。在这幢房子的侧面墙上，有一个大型的带有双开门的露台，透过露台，可以看到一间客厅。当路易波特先生与这个女人走进客厅时，碧吉迅速地消失在灌木丛的后面。

碧吉等呀等，因为那儿不断有人经过，

于是她又走了一段路，回到了房子的另一侧，以便不引人注目。

最后，她感到有点无聊了，而且她储备的榛子巧克力也吃完了，这时，她已经没有兴致长久地等待下去了。

突然，房门的响声引起了碧吉的注意，她抬头望去，那个女人跌跌撞撞地跑了出来。

　　"救命,我们遭到了袭击!"她声嘶力竭
地喊道,"我们遭到了抢劫!"

　　碧吉再一次跑到那个能够看见客厅的
地方。那个闯入者是怎样成功地偷偷溜进
房间,又悄无声息地消失,而且还没有被人
发觉的呢?

冒险小虎队

请你回答的问题:

1. 这个闯入者是怎样进入这幢房子的?

2. 这个女人可能有什么样的惊喜?

3. 这个闯入者在哪里寻找过东西?

4. 在这次袭击中,什么事情比较古怪?

秘密记录

汽车制造厂

　　齐根路上没有豪华的别墅，尽是一些简陋的房子。

　　帕特里克和路克事先已经把他们的自行车拴在与齐根路相隔两条街的一个路灯柱子上。为了不被人认出来，路克戴上了他那件套头衫上的帽子，并尽量拉低帽檐，遮住脸。而帕特里克则穿了一件领子竖起的夹克衫。

　　齐根路的中段有一家冷饮店，但是，它已经关门了。冷饮店门口的一棵高大的栗子树下面，有一些桌子和椅子，这两个年轻人坐在椅子上，装出一副正在看连环画册的样子。

　　很长时间都没有发生什么事情，既没有人步行过来，也没有人开车过来。又过了一会儿，那位校长的汽车出现了，施坦克坐在驾驶室里。他驾驶着汽车，朝一扇生锈的栅栏门开去，这扇门旋即自动打开了。门旁

433

有一块剥蚀风化的牌子,牌子上写着:KFZ
汽车制造厂。

施坦克驾驶着汽车沿着一条坑坑洼洼
的小道来到厂区的后部,然后在一个拐角
处拐弯了,铁门在他进入后自动关上了。

这两个年轻人从他们的藏身处走了出
来。"快走,我们从门上爬进去。"帕特里克
轻声建议道。

路克没有回答,而是紧张地侧耳细听。

"有什么事吗?"帕特里克问。

"那扇门正发出轻轻的嗡嗡声。"路克
说,"你难道没有听到这种声音吗?"

"应该是开门装置上马达的声音。"帕
特里克推测道。

紧靠厂区的旁边,有一条狗正在狂吠。
这条狗跑到栅栏旁,直立起来,并用猛烈地
摇尾的方式来问候这两个年轻人。

路克若有所思地用手指敲着鼻尖,嘴
里喃喃自语:"这也可能是一个警报装置,
或者说那扇门上通了电,以便把不速之客拒

之门外。"

"那么,我们现在应该做些什么呢?"帕特里克问。

路克朝四周看了看,冷笑了一声:"嘿,我知道该做什么了。"

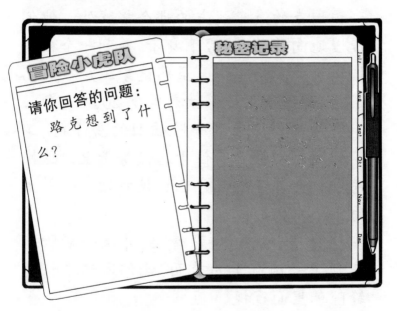

冒险小虎队

请你回答的问题:
　路克想到了什么?

秘密记录

这两个年轻人在观察一番之后,终于爬进了栅栏。这条狗对此非常高兴,并在他们面前欢蹦乱跳。

"但是,你却不是一条好的看家狗。"帕

特里克笑着对狗说。

那条通往厂区的道路非常狭窄，道路两侧生长着茂盛的灌木丛。路克的怀疑是正确的，那扇铁门上确实带着电。

两只小虎弯着腰，蹑手蹑脚地一直走到施坦克的汽车消失的那个拐弯处。他们慢慢地向前移动，弯下身子，并朝一个被高墙环绕的院子望去。虽然这家工厂被关闭了，但是院子里还停放着至少20辆汽车。

两只小虎来到一幢破旧的房子前，工厂的办公室很可能位于这幢房子里。这幢房子里大部分的窗户已经被打破了，并被钉上了木板。

两只小虎一直弯着腰，并蹑手蹑脚地来到了一扇窗子的前面，他们通过木板的缝隙朝里面窥视。

路克从包里拿出一只较大的手机，并打开了翻盖，里面有一个屏幕和一个键盘。

"这是什么？"帕特里克轻声问道。

"这是我父亲的手机，你可以用它上因

特网,并且可以发传真。我们现在必须给碧吉发送一则消息。"

"我看我们还是走吧。"帕特里克轻声说。

路克把他拦住了:"发好短信,马上就走!"

路克匆忙地按动键盘,输入了发送的指令。

当这两个年轻人正在确认消息是否发出时,在他们的身后,一扇锈迹斑斑的门打开了,但他俩并没有觉察到。有人用很慢很轻的脚步正向他们逼近。这个人手里拿着一个喷雾瓶,这个瓶子就像一把手枪一样对准了两只小虎。

暗　示

　　碧吉突然产生一种莫名的怀疑，她重新跑到花园的门口，那个戴着假发的光头和那个女人正从那儿向街上走去。

　　"和你在一起……对我来说太危险了。"那个戴着假发的光头男人一瘸一拐地走着，嘴里结结巴巴地说，"对不起，可是……我们之间肯定不会有什么结果。"

　　那个女人紧紧地拉住他的手臂："但是，我的朋友，你不能就这样一走了之，不，不能在我们受到袭击之后逃之夭夭。"

　　那个男人果断地挣脱了她，并且步履蹒跚地离开了。碧吉跟踪了他一段路，并且观察到他在走过第二个拐角之后，又能够完全正常地行走了。在主干道上，他朝一辆出租车招招手，对出租车司机说了一个地址，但是，碧吉却无法听清这个地址。

"这是一个骗子，"碧吉自言自语，"我敢打赌，他袭击了那个女人，并且把她洗劫一空，然后装成这副样子，似乎另有闯入者。"

碧吉向那个女人走去，那个女人正在向两位警察报警。

"那个闯入者是从露台进来的，弗洛伊顿塔勒先生到我这里还不到两分钟，我们就被打倒了。我是第一个受害者。"

"弗洛伊顿塔勒？那个男人叫路易波特！"碧吉在旁边插嘴道。

两个警察和那个女人吃惊地看着她。

"你是从哪里知道这个人的？"那个女人怀疑地问。

"我曾经跟踪过他。"碧吉老实地承认。

"他对我登在报纸上的交友广告作了回应，"女人讲述着，"而且，他给我留下了很好的印象，我甚至已经为我俩预订了一次赴巴黎的周末游。"

"您有这个男人的地址吗？"其中一个警察问。

女人摇了摇头。

"我可以帮您得到。"碧吉抢着说，"此外，这个男人是个光头，他有着各种各样的假发。"

女人不知道是否应该感谢碧吉。

　　"这一切到底是怎么回事?你少了什么东西吗?"另一个警察问。

　　"我所有的首饰和在这间房子里的钱都不见了。这可是很大的一笔数目啊。"这个女人后悔极了,"但是,我却不敢想像,这竟会是我的朋友干的!"

　　两个警察询问了碧吉的地址和电话号码,然后让她坐进巡逻车一起走了。

　　"哈哈,当我向另外两只小虎讲述这一切时,他俩一定会非常惊讶。"碧吉得意地想。

　　在碧吉的父母亲的传真机里，留着一则来自帕特里克和路克的密码信息。碧吉

```
他  碧  实  ↑  我  的  吉
大  那  多  个  的  光
藏  我  匿  们  处  也
去  头  回  确  地  实
无  在  法  一  相  家
是  二  假  去  施  克
信  汽  这  车  一  厂
坦  来  里  ↓  事  克  吉
```

刚回到家里就发现了这则信息，现在她必须坐下来细细阅读。

这不可能！完全不可能！

第一，这个戴着假发的光头男人的指纹与那个假施坦克的指纹并不一致；第二，自己刚才还暗地里跟踪过这个戴着假发的光头男人。

两个男孩的这份传真件是在那个戴着假发的光头男人上出租车的时候发出的。

碧吉的脑子里一片空白。

电话铃响了，她似乎是在半睡半醒的状态下拿起听筒的，甚至连自报姓名也忘记了。

"喂，是碧吉吗？"

这是帕特里克的声音。

"是的，是我，碧吉！"她激动地叫道，"有什么事情吗？那个光头……你们肯定搞错了……或者是我跟踪错了。"

"碧吉，先别谈那些，你快点到齐根路的那家汽车制造厂来吧，我们非常需要你！"帕特里克焦急地说，"并给我带两块榛子巧克力来。"

"我知道了,半个小时后,我会准时到的。"

碧吉马上离开了家。

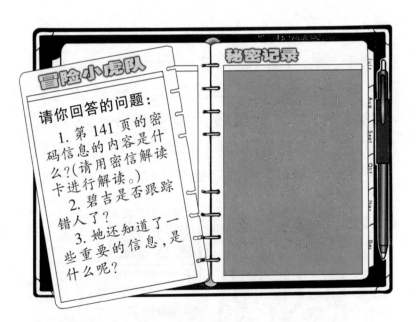

冒险小虎队

请你回答的问题:

1. 第 141 页的密码信息的内容是什么?(请用密信解读卡进行解读。)

2. 碧吉是否跟踪错人了?

3. 她还知道了一些重要的信息,是什么呢?

秘密记录

"救命！"

当碧吉到达那儿时，通向汽车制造厂的大门敞开着。她停住了脚步，仔细观察了一下周围的情况，但没有发现帕特里克和路克的踪影。她慢慢地沿着那条大路向前走去，大路两侧长满了灌木丛，一直延伸到院内和那幢主楼前。她仔细地查看着那些

停放在那儿的汽车，并想大声呼唤两个男孩的名字，但是她却不敢。如果他们躲藏起来并看到了她，那么他们肯定会马上给她发出一个信号的。

碧吉有点不耐烦了，她漫无目的地寻找着。为什么看不见这两个男孩呢?这里到底发生了什么事情?

冒险小虎队

请你回答的问题：
两个男孩给她留下了一个提示。这个提示在哪儿呢?

秘密记录

碧吉惊奇地扬起眉毛，弯下腰，并拾起了百宝箱。为什么路克的百宝箱会在这儿呢?通常,他总是箱不离身的呀。

非常奇怪的是,这个百宝箱敞开着,里面还放着路克父亲的那只计算机手机。

"也许,他们用这只手机给我发过传真,并用它给我打过电话。"碧吉这样考虑着。

她打开了这只手机,并端详着键盘。手机的屏幕是黑色的。她突然想到,让这只手机运转起来可能是非常重要的,但是,怎么操作呢?

冒险小虎队

请你回答的问题:
    碧吉第一步应该干什么?

秘密记录

　　碧吉惊呆了,在那个小小的屏幕上,出现了两个大字:救命!

　　她的担心得到了证实:两个男孩陷入了困境。但是,到底发生了什么事情呢?

　　当她把警察局的报警电话输进手机时,她的手在发抖。她这时无法去按那个接通键,因为在她旁边的那些高大的拉门中,一扇门被突然打开了。这扇门的里面是汽车修理车间。

　　"校长……校长先生。"当她看见阿尔弗里德·施坦克站在门旁时,碧吉结结巴巴地说。

　　"快一点。"校长气喘吁吁地说,"我们必须帮助你的朋友,然后离开这里!"

　　他向里面指了指。那里放着一把椅子,昏迷过去的路克被绑在椅子上。碧吉不得不克制住自己,不让眼泪流出来。

　　"什么事……发生了什么事? 还有,帕特里克在哪里?"她哽咽着问。

　　施坦克的鼻腔里发出很响的声音,并

一再擦拭着鼻子。

"在安全的地方，我已经把他带走了，但是，现在请你帮帮我，把路克背走。"

碧吉轻松地深吸了一口气，这个校长又从鼻腔里发出很响的声音，显然，这就是那个真的施坦克！碧吉走进了车间，并跟着施坦克，朝里面走去。

"你把他背在背上。"校长吩咐她。

碧吉来到了路克的身后，并用双手从腋窝下扶住他。

"您能过来帮帮我吗?"她问施坦克。施坦克正站在离她两步远的地方,观察着她。

校长摇了摇头。

"不,我不做这件事情。"

他从裤袋里拿出一个小盒子，这个盒子就像一个香烟盒那么大。校长按下了一个按钮，突然，碧吉脚下的地面猛地活动起来，她和路克一起跌入了深渊。

"这是怎么回事?我要上去!"她叫道。

碧吉最后能够看到的东西是一扇大

门,但它又自动关闭了。她的叫喊声没有人能够听得见。

接下来的一瞬间,周围顿时变得漆黑一片。她跌跌撞撞地向前走去,并立刻扶住了隐约看到的一把椅子的靠背。与此同时,她碰到了路克的脖子。路克的皮肤很凉,几乎是冰冷的。

突然,一道刺目的灯光射了进来。碧吉看到一间铺着白色瓷砖的实验室,里面摆放着一只装满瓶子和罐子的高大架子。碧吉现在身处毒药博士的实验室。

恫　吓

"碧吉！"

帕特里克在门口出现了，他的脸上露出惊恐的神色，他的下嘴唇在颤抖。这是他感到震惊的一个明显的标志。

碧吉上前拥抱了她的小虎队队友。她平时从来不这样做的。"路克到底怎么了？施坦克对他做了些什么？"碧吉抽噎着问，"他……他是不是死了？"

在这个实验室的另一侧，一扇金属门"嗞嗞"地打开了，那个假校长走了进来。

"不，你的朋友还活着。"他用冷冰冰的声音说，"我只是把他麻醉了，而且，他是否能够从这种人工的睡眠中苏醒过来，完全取决于你和你身边的那个男孩。"

150

"为什么?你指的是什么?"碧吉几乎在叫喊，她的声音从铺着瓷砖的墙壁上撞了回来,发出重重的回声。

"毫无疑问，你们三个已经走得太远了。你们插手了这些事情,你们这些小孩子应该从这些事情中摆脱出来。"

碧吉攥紧拳头,愤怒地说:"我们并不是小孩子!"

"对的,你们相当觉醒,你们也认识到,我篡夺了你们校长的位置。尽管我很仔细地研究过他的行为方式,但在我身上仍然出现了错误,即没有不停地打响鼻。"

这个男人揪住自己的头发，并用力向上拉。他的脸开始扭曲变形,看起来像在哈哈镜里看到的那样。这时,他的皮肤松脱了。碧吉在等待着一个骷髅头的出现。

校长的那张脸孔下出现了第二张脸,他就是小虎们一直在找的那个光头。他现在用冰冷的、灰白色的眼光向碧吉迎面望去。他的手里拿着一个完美的面具,并挥舞

着这个面具解释道："我可以在几分钟之内又把它戴上去。这种合成材料是我自己发明的。尽管我可以把它高价出售给电影业，但是我却不这样做。"

"你……你也是另外一些人吧。"帕特里克结结巴巴地说，"譬如，扮成那个带着一条狗的老人，不是吗？"

毒药博士点点头，他的嘴角露出了一

丝自豪的冷笑："我对你们来说不仅是校长,而且也作为警惕的邻居碰到过你们。"

"而且,你还有一个孪生兄弟!"帕特里克脱口而出。

毒药博士的脸色变得阴沉起来："你们是怎么认识他的?"

"我们偶然在城里看见过他。"碧吉迅速回答。现在她明白了,为什么咖啡吧里的那个光头的指纹与这个假校长的指纹不一致,因为即使是孪生兄弟,也不会有相同的指纹。

"我的兄弟在这里?"毒药博士吃惊地问,"这太糟糕了,非常糟糕。"

"他大概不久就要坐牢了,因为他是一个婚姻骗子。他总是把受骗的女子洗劫一空。"碧吉解释道。

毒药博士用手抚摸着自己的下巴,脑子飞快地转动着："好吧, 现在你们两个可以回家去了。但是, 你们不要同任何人说,也不要到警察局去, 你们的朋友还在我这里,否则他就活不成了。"

"你什么时候可以释放他?"碧吉问。

"星期二下午。前提是你们必须把我托付给你们的一切事情都准确地做好。"

帕特里克和碧吉沉默了。

"那么,现在就把这把椅子抬进实验室,然后你们自己走进电梯。"毒药博士命令道。

两只小虎听从了命令,并向路克投去了那种永别时才有的绝望的一瞥。

"我是严肃认真的,"毒药博士边推两只小虎边威胁道,"是非常严肃认真的,许多不愿相信我的人最后都会吃苦头的。"

碧吉和帕特里克对这个男人的话一点也不怀疑。

电梯门关上了,他俩来到了地面上。两个人情绪低落地离开了这个车间。他们刚刚站到外面,身后墙壁咣当一声倒塌了。一团尘土遮天蔽日地在他们的头顶上弥漫开来,这让他们感到窒息。

"这个家伙确实是严肃认真的。"帕特里克咳嗽着说,"这台电梯被掩埋了,根本无法开动了。"

"你知道通往这个实验室的别的入口在哪里吗?"碧吉问。

帕特里克摇了摇头。

两个人无精打采地踏着被破坏的地面,走到停放自行车的地方。

下一步怎么办呢?

冒险小虎队

请你回答的问题:

帕特里克和碧吉在实验室里忽略了一件事情,这件事情是什么呢?

秘密记录

毒药博士惶恐不安

毒药博士焦急不安地在实验室里来回走动着,他不断地让手指关节发出"咔咔"声。

这些该死的孩子们!毒药博士已经非常接近他的计划的最终目标了,绝不能被这些孩子们所打扰。当然,他也对他们说了谎,到星期二,他将不会释放路克,这个男孩子将会无影无踪地消失,就像他的其他牺牲品一样。而且,帕特里克和碧吉在那时也抓不住他什么把柄。

这是能够让毒药博士稍稍感到愉快的唯一想法。让他感到不安的事情实在太多了。

他朝钟上瞥了一眼,现在是七点半,他还想进行最后一次检查,看看自己在生产这种预订的毒药时是否出现过差错。他走

157

到电脑前,敲击着键盘,并且输入了第一组密码。在第一组密码被接受之后,电脑便询问第二组密码。第二组密码也被接受后,电脑又询问第三组密码。

毒药博士进入了他那绝密的数据库,并且调出了那个配方的资料档案。他又一遍仔细地研究了各种配料及其数量。绿色的电脑屏幕上恐怖地映照出他那光秃秃的脑袋。

稍稍平静下来之后,毒药博士切断了电脑的总开关。虽然他知道不应该这样直接关闭电脑,而应该让电脑按照正常程序关闭,但他觉得这一切似乎太麻烦了。

他大步走向隔离室,刚才他就是通过这个隔离室进入实验室的。他把自己的右手放在一个闪着蓝光的屏幕上,接着,一束耀眼的光线扫描了他的指纹,当电脑查明这些指纹是正确的之后,这扇闪闪发光的金属门咝咝作响地打开了。同样,当毒药博士进入之后,这个隔离室的门又咝咝作响地关闭了。

灯仍然亮着。

在毒药博士离开几分钟之后，路克睁开了两眼，并且伸展了一下自己的四肢。这种处在试验阶段的麻醉药并没有在路克身上起作用。路克虽然既不能活动身子，也不能向朋友们发出暗号，但是，他听到了刚才的一切。他眼前的模糊已逐渐消失，甚至观察到了毒药博士刚才所做的一切。

当这名小虎队队员确信这个骗子不会再回来时，他试着站了起来。他的手臂和大腿几乎要僵硬了。他艰难地在实验室里行走，并察看着四周，恐惧就像昏暗处的阴影一样在他心中时隐时现，但是，他还是下定决心，不让自己屈服。

他做的第一件事是，走到电脑旁，重新打开电脑。他听到了硬盘正在工作的声音。这时，屏幕发出绿光，并且要求路克输入密码。

但是，他刚才没能准确地看清毒药博士在电脑中输进了什么，他只是看到了这些密码的开头的一个字母。

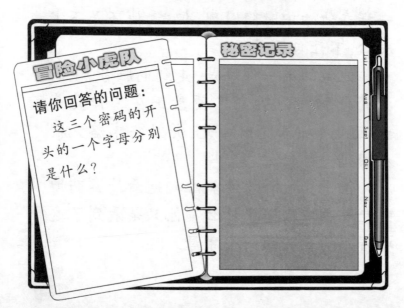

冒险小虎队

请你回答的问题：
这三个密码的开头的一个字母分别是什么？

DT 798

路克还想起了一些东西，毒药博士在输入每组密码之前，每次都在实验室里四处张望，路克现在也这样做。

路克的目光落在一个架子上，这个架子上至少放着一百多个棕色的玻璃瓶，每个瓶子上都贴着一张标签，标签上都写着一个化学名称。

在第一排架子上，路克发现一个瓶子上写着"醋酸"（Acetic acid）；第二排里的一个瓶子上写着"草酸"（Oxalic acid）；第三排里的一个瓶子上写着"氧化钠"（Natron）。

"狡猾的家伙。"路克心中暗骂。仅仅这三个瓶子是空着的，但是只有当人走到离架子很近的地方时才能发现。看来毒药博

161

士用这种方法来保证这些密码不会被忘记。

数据库被打开了，毒药博士刚刚检查过的那个配方还在那儿，因为他没有按照正常程序关闭电脑，所以这个文件也没有被关闭。

路克坐在一个可以移动的椅子上，开始研究这些复杂的化学分子式，但是，这些分子式并没有告诉他任何情况。直到最后，他才找到了有关这种物质的一些信息。这种物质名叫 DT798。路克还看到了这种物质的功效描述。

在看每一个句子时，这名小虎队队员的眼睛变得越来越大，他的嘴里还复述着他所看到的文字。

现在他明白了，毒药博士为什么要混进这所学校，他在那儿有什么打算，过去一周里发生的所有事件都有了一种确定的意义。

他必须尽快离开这个实验室。

在寻找出口时，路克偶然发现了一封

162

信,它放在一张可以移动的小桌上,上面写着阿尔弗里德·施坦克的姓名和地址。路克小心翼翼地捡起这封信,并用手触摸它。里面似乎没有什么不寻常的东西,他摸到了一张卡片和一张纸。

但是,这封信中到底有些什么内容呢?

这封信是封住的,路克不敢把它打开,因为不能让这个骗子察觉到自己已经醒来。

一旦毒药博士重新回到这个实验室里,路克必须再次装睡。

一个角落里挂着许多件外套,旁边是可以戴在头上的面具,它们看起来栩栩如生,足以以假乱真。

路克坐在桌前,摇摇头,并向那个校长和住宅区里多疑邻居的面具上空洞的眼睛望去。

他突然想到了一个主意。

冒险小虎队

请你回答的问题:

路克有什么打算?

秘密记录

绝 望

这个办法起作用了,那张信纸变得透明了,而且路克还看到了一张并不是十分清晰的彩色照片。从照片上可以辨认出施坦克校长的面容,他正悄悄地把一个小小的瓷质人像放进上衣口袋里。他想窃取这个瓷质人像吗?

路克把这封信翻转过来,并在其背面也喷洒上一些发蜡,然后仔细进行辨认。信上有一行文字:难道您的学生们应该看到这个画面吗?

现在一切真相大白了,毒药博士要对校长进行敲诈勒索。

但是,真的施坦克校长目前在哪里呢?路克的内心产生了一种可怕的焦虑,难道我们的校长已经死去了吗?

路克马上把这个想法抛到脑后。他感觉到自己的心脏狂跳不已。

现在,除了离开,别无选择!他必须从这里逃出去。但是,怎样逃跑呢?

他在实验室里不停地来回走动,设法寻找另外的出口,但是除了那个隔离室之外没有别的出口,而且这个隔离室只能用那个骗子的指纹才能打开。

路克只好绝望地坐回到那把椅子上。

这天晚上,帕特里克请求父母亲允许自己在碧吉家里住一夜,父母们对此没有表示反对。

碧吉给路克的父母亲打了个电话,并向他们讲述,自己举办了一场小小的聚会,而且这个聚会也不会持续太久。

"是否允许路克留在这里?"她问路克的父母亲。

路克的父母亲也表示同意。

第一个晚上他们就这样安排妥当了，但是，后面的日子怎么过呢？他们又能够用哪些借口来敷衍路克的父母亲呢？

　　他们也像滞留在实验室里的另一只小虎一样绝望。碧吉和帕特里克坐在碧吉房间里的沙发上，他们把大腿盘曲起来，并把下巴靠在膝盖上。

　　"这个家伙拥有各种喷雾剂，他可以在一瞬间麻醉对方。"帕特里克说，"但是，他也有另一种喷雾剂，可以立刻让人解除麻醉。在上周的星期五，他肯定在肖特身上使用过这种麻醉剂。"

　　"我们还将在学校里面对这个无赖，并且还要显出若无其事的样子。"碧吉说到这里，不禁打了个寒噤。

　　帕特里克突然想起了什么事情，他由于兴奋而全身颤抖："我有办法了，我知道该让谁来戳穿这个假施坦克，并让警察马上抓住他。这样他就无法逃脱了，并且对我们也不会有任何的怀疑。"

"那么,到底是什么办法呢?"碧吉问。

冒险小虎队

请你回答的问题:
　　谁能够戳穿这个
假施坦克?

秘密记录

绝处逢生

碧吉对此表示反对,她为路克的生命安全而担忧,但是,帕特里克却想尝试一下。尽管现在已经很晚了,帕特里克还是跨上自行车,向校长那幢蒂罗尔人风格的乡村别墅骑去。

整条街上都看不到施坦克停泊的汽车,这给了帕特里克些许希望,即假校长还没有回家。帕特里克蹑手蹑脚地走近这幢房子,并小心地透过一扇窗户观察这间灯光明亮的房间。

施坦克夫人一个人坐在电视机前,给人一种非常不幸的感觉。

帕特里克鼓起全部勇气按响了门铃。过了一会儿,施坦克夫人打开了门。

"请问有什么事吗?你在这个时候来敲门有什么重要事情吗?"她疑惑地问。

"我必须和您谈谈,麻烦您了!"帕特里克恳求道,"您的丈夫在家吗?"

"不,他很迟才回来。"校长夫人抱怨地说。

帕特里克不等她让到一旁,就迅速从她的身边溜了进去,然后把门关上了。帕特里克简短地向她解释了有关这位校长的真实情况,幸运的是,施坦克夫人相信了他所说的一切。

"他完全变了。"她一再地说。

"请您向他提一些只有您的真正的丈夫才能够正确回答的问题,如果这个人回答错误,那么您就悄悄地给警察打电话报警。但是请注意,在任何情况下都不要让他怀疑是我们想出的这个办法,否则的话,我们的朋友就有生命危险了。"

车库的门打开了,一辆汽车朝车库驶去。

"我必须离开了,这里有没有后门?"帕特里克不安地问。

施坦克夫人把他带到地下室的出入处:"你朝下面走去,在那儿你能够找到一条狭窄的楼梯,楼梯通往上面的花园。"

当那位假施坦克先生走进房间时,一阵阵寒风吹拂着帕特里克的脸庞。

路克在实验室里打瞌睡。毒药博士不久前回来过,他又配制了一些东西,并放入一只小瓶子里,然后离开了。

路克被一声沉闷的敲击声所惊醒。他伸展了一下四肢,过了几秒钟才缓过神来,这种敲击声似乎是从下面传来的。

冷冷的氖光灯仍然在实验室里闪烁着。

路克向四周看了看,似乎在搜寻着什么。

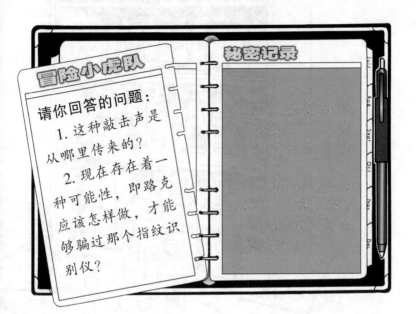

冒险小虎队

秘密记录

请你回答的问题：

1. 这种敲击声是从哪里传来的？

2. 现在存在着一种可能性，即路克应该怎样做，才能够骗过那个指纹识别仪？

最后的疯狂

路克用小刀和钢针将滑动架推向一边,然后跪了下来。地面上并没有门。

"喂!"他叫喊着,"下面有人吗?"

"让我出去!"一个祈求的声音传了出来。毫无疑问,这个声音出自那位真校长之口。

路克发现了几块松动的地砖,并把它们稍稍搬起来。这些地砖的下面是一个开门的机关,路克扳动那个机关,一扇折叠门"咔嚓"一声弹开了,路克把门向上拉起。

伴随着鼻腔里发出的"呼呼"喘息声,那位真正的施坦克先生的头露了出来。

"年轻人,是你啊?"当他的眼睛适应了周围的灯光之后,他认出了路克。

"是的，是我！我们现在必须尽快从这里逃出去。请您走过来，您可以帮助我。"

"请等……一会儿。"施坦克先生结结巴巴地说。

路克与施坦克先生来到实验室里的那张桌子旁。这张桌上放着两只薄薄的橡胶手套，就像外科医生动手术时所戴的手套一样。这双手套非常窄小，戴在手上时肯定会紧贴在皮肤上。路克希望手套的内侧留有毒药博士的指纹，因此他小心翼翼地把手套翻转过来，并不让自己的手指头接触到手套内侧。一旦指纹识别仪能够认可那上面的指纹，那么路克的计谋就成功了。

"你不是我的丈夫！"施坦克夫人毫不客气地当面戳穿那个戴着假面具的毒药博士，"我刚才问过你，我们结婚时，我得到了什么礼物，你回答说是一枚金戒指。但是，只有我丈夫和我知道，那是一枚假的金戒指，因为当时我们都很穷。今天，每当我们讲起这件事情时,我们都会大笑一场。"

毒药博士大吃一惊,他的大脑快速地运转着。他把手放在口袋里,那里面放着一罐麻醉喷雾剂。

施坦克夫人拿起了电话听筒,并拨了一串号码。毒药博士不再犹豫了,迅速拿出喷雾剂,朝她脸上喷出了一大团云雾。施坦克夫人马上失去了知觉,瘫倒在地上。

"你不会再出卖我了。"毒药博士嘟哝道。

"请举起双手走出来。"就在这时,房子外面突然响起了声音,同时,汽车大灯也亮了起来。

显然,帕特里克已经向警官龙格报了警。龙格警官现在带着他的手下已经包围了这幢房子。

"哼,这件事肯定是那几个小笨蛋干的!"毒药博士咆哮道,"他们对此会感到后悔的!"

他拿起电话机,拨了一串长长的号码。

路克在实验室里听到了计算机调制解调器发出的咔嚓咔嚓的声音,有人接通了计算机。

那只手套已经被翻转过来了,但是路克还不知道自己的计划是否可行。

他突然发现了什么东西,这令他不寒而栗。他朝计算机屏幕看了一眼,顿时感到

冒险小虎队 MAOXIAN XIAOHUDUI

自己的双腿变得软弱无力。他几乎不能保持原来的站立姿势。

毒药博士正在启动某个程序！

冒险小虎队

请你回答的问题：

请你再仔细观察一下 174、175 页上的图。毒药博士在启动什么？

秘密记录

令人毛骨悚然的毒药

星期五凌晨三点钟。

三只小虎精疲力竭地坐在龙格警官的办公室里。

"与你们打交道的是一位著名的毒药博士，"龙格警官解释说，"国际刑警组织多年来一直在跟踪他，但是毫无结果。"

四个炸弹把那个毒药博士留下的所有痕迹都毁灭了。当那个汽车制造厂在变成一团炽热的火球之前，路克与那位真正的施坦克校长顺利地打开了隔离室的门，喘着粗气来到了街上。路克与施坦克校长逃过了一劫。

"唉，可惜让这个家伙也逃脱了！"帕特里克叹息道。原来，趁着爆炸之乱，毒药博

181

士逃走了。

"是的,正如我们所了解的那样,他已经逃往国外。我们已经询问过他的兄弟,但是,他的兄弟对此却一无所知。"龙格警官说。

"我们已经识破了这位毒药博士的真实面目,"碧吉有点担心地说,"他会不会向我们报复呢?"

龙格警官让她放心，完全可以消除后顾之忧:"这位毒药博士从来不回到相同的地方,决不会的!虽然你们已经熟悉了他的面孔,但是他估计,你们不久就再也不会讲述任何东西了,并在接下来的日子里,你们将长期得到警方的保护,因此他没有必要再回到这里来了。"

至此，小虎队已经完全弄清了那个毒药博士的计划:他接受了黑手党的任务,要研制一种不会立刻让人死亡的毒药。这种慢性毒药,可以让人健忘、疲倦和变得愚蠢,最后慢慢变成白痴。这种毒药会在人们接触它后的短短几秒钟内即刻生效。为了找到试验对象,他假扮成校长,以便在学生中进行试验。

路克还讲到了校际奥林匹克竞赛的情况:"这个校际奥林匹克竞赛对于这位毒药博士来说是非常合适的机会。他首先对我们进行了智力测试,了解我们有多少智商,然后他投放毒药,并检测这种毒药的效果。如果他的计划得逞，我们的学校肯定会经历一次灾难性的打击!"

冒险小虎队

请你回答的问题:
　那位毒药博士会使用什么办法让学生们吸入他研制的这种慢性毒药?

秘密记录

　　龙格警官则从另外的角度来看待此事:"很可能是一位匪首在他那里订购了这种毒药，以便把这种毒药投放到某个大型的刑事警官大会上。如果这样的话,就会导致上千名警官中毒,那么匪徒们的计谋便会得逞。"

　　三只小虎这时感到非常自豪，因为他们阻止了这一切的发生。

　　毒药博士逃走之后来到了意大利，他谎称自己是一位调酒师而下榻在一家小客栈里，他将不得不在较长的一段时间里藏匿起来，以便躲避黑手党头目的报复。当然，那只箱子里的那笔钱，他是无论如何都不想归还的。

　　"有朝一日，我会向这些该死的孩子们复仇。"毒药博士发誓道。这个"有朝一日"比他所预测的日子来得更早了一点，在《孤岛紧急呼救》中，这位毒药博士与三只小虎又见面了。

__1
__2
__3
__4
__5
__6
__7
__8
__9
__10
__11
__12
__13
__14
__15
__16
__17
__18
__19
__20
__21
__22
__23
__24
__25
__26
__27
__28
__29
__30
__31
__32
__33
__34
__35
__36
__37
__38
__39
__40
__41
__42
__43

小虎队盟友

破案成绩卡

MAOXIAN XIAOHUDUI

毒药博士的恐怖计划

第四名小虎队成员

____

书中共有43个谜题,你能破解多少个谜题?

得到40分以上 □ 非常好

得到30分 □ 很好

得到20分 □ 好

得到10分 □ 一般

得到5分 □ 弱

得到1分 □ 没有通过

MAOXIAN XIAOHUDUI

请你在上面的评分阶梯中填上正确的破案成绩

小虎队秘密记录

XIAOHUDUI
MIMI JILU

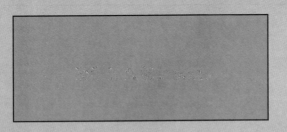

小虎队超级绝招

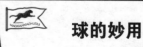

球的妙用

　　当你离开房间时，请在房门旁放一只球，同时，用绳子做一个绳套，把球拉到非常靠近紧闭的大门的位置。当你回来时，你可以用一张纸试探一下，看看那个球是否还在那里。如果球还在，那么就可以判定没有人进过房间。

透明的纸

　　如果把发蜡或发胶喷洒在纸上，那么纸上用铅笔或者炭笔画的字符就会显现出来。

提取指纹

如果你想神不知、鬼不觉地提取到一个嫌疑人的指纹，那么你就给他一些喝的东西。为什么呢？你可以从玻璃杯上提取他的指纹。

暗示

几年前，一位意大利百万富翁的女儿遭遇绑架，绑匪提出了很高的赎金，并且威胁说不付赎金就要杀死这位12岁的小姑娘。

这位小姑娘只被允许与其父母通一次电话，并且只能讲短短的几句话。她对母亲说："请照看好我的芭比娃娃。"母亲明白了这句话的暗示作用。其实，这个小姑娘早已在不久前将她的芭比娃娃收藏了起来。一个新来的女佣对这个芭比娃娃很感兴趣，并且最终也得到了一个芭比娃娃。

这个小姑娘想用这种方法告诉父母亲，这个女佣也参与了这次绑架行动。因为这个女佣一直待在小姑娘家里，所以可以抓住她，甚至还可以让她说出关押那个小姑娘的地方。

带镜子的杂志

拿出一本漫画书或杂志,在上面贴一面又薄又轻的镜子,或者一小块可当做镜子用的金属薄片,于是你可以装作专心看书的样子观察身后的动静。

影子的出卖

碧吉讲过一个故事:"有一次,我在盯梢过程中不幸被对方发现。那是一个晚上,我站在一个角落里。我曾经想,我没有被对方发现。完全错误!一盏灯把我的影子投射到了地面上,是影子把我出卖了。"

秘密拍照

把照相机秘密隐藏起来的最佳地方,是一只不再使用的旧包。在包上剪一个小洞,并且把照相机固定在包里,这样,这个照相机就不会滑落下来,然后你就可以悄悄地按下快门的按钮。

留在汽车里的指纹

如果小偷没有戴手套的话,那么在一辆被偷的汽车里,最容易在哪里提取到小偷的指纹?

在方向盘上。

相同的指纹

是否会有两个人拥有相同的指纹?

永远不可能!即使是双胞胎,也不会拥有完全相同的指纹。因为皮肤的纹路早在娘胎中就已经形成。

手套上的指纹

一个小偷戴着橡皮手套作案,以便在现场不留下任何指纹,但他在逃跑时却丢掉了手套。警察后来找到了那副手套,并在手套上发现了指纹,这就是那个小偷留下的指纹。

作者

名：托马斯

姓：布热齐纳

生日：1月30日

头发颜色：棕色

眼睛颜色：棕色

特征：大髭须

我喜欢：

饮食：中式米饭和意大利面条

饮料：所有一切酸的和彩色的饮品

颜色：红色

动物：我的狗——大菲

音乐：抑扬顿挫

课程：休假

业余爱好：收集钟表，喜欢拍一些疯狂的照片

我讨厌：无聊透顶的人、牛皮大王、蠢货

我梦想的职业：已成为现实

我最大的愿望：做一次月球旅行

Tomas Nezira

（托马斯·布热齐纳）

图字：11—2003—136 号

图书在版编目（CIP）数据

毒药博士的恐怖计划/[奥]托马斯·布热齐纳著；陈
一平，邵灵侠译.—杭州：浙江少年儿童出版社，2005.1
（2005.4 重印）
（超级版冒险小虎队）
ISBN 7-5342-3375-5

Ⅰ.毒… Ⅱ.①托…②陈…③邵… Ⅲ.儿童文学-
侦探小说-奥地利-现代 Ⅳ.I521.84

中国版本图书馆 CIP 数据核字（2004）第 118370 号

Ein Superfall für dich und das Tiger-Team. Der Schreckensplan
des Dr. Gift   Thomas Brezina
Copyright ⓒ1999 by Egmont Franz Schneider Verlag GmbH，
München
Chinese language edition arranged through HERCULES Busi-
ness & Culture Development GmbH，Germany
www.schneiderbuch.de   www.thomasbrezina.com
· 全球中文版权授予浙江少年儿童出版社出版发行
· 版权所有 翻印必究

策　　划 袁丽娟 责任编辑 宋　杰 美术编辑 赵　洋
装帧设计 裤　兜 解密制作技术 阙　云

超级版冒险小虎队

毒药博士的恐怖计划

[奥地利] 托马斯·布热齐纳 著

维尔纳·埃曼 插图

陈一平 邵灵侠 译

浙江少年儿童出版社出版发行
（杭州市天目山路 40 号）

浙江印刷集团有限公司印刷　　全国各地新华书店经销
开本 787×1092 1/32 环扉 1 印张 6.375 字数 73000 印数 115351—125380
2005 年 1 月第 1 版　　2005 年 4 月第 6 次印刷

ISBN 7—5342—3375—5/I · 670　　定　价：12.00 元
（如有印装质量问题，影响阅读，请与承印厂联系调换）